JN093557

図解ポケット

AI時代の基本スキル

STEM

ステム

が

よくわかる本

MATSUMURA Kana
松村 佳奈 著

Shuwasystem
A book to explain
with figure
: Library

秀和システム

●**注意**

(1) 本書は著者が独自に調査した結果を出版したものです。

(2) 本書は内容について万全を期して作成いたしましたが、万一、ご不審な点や誤り、記載漏れなどお気付きの点がありましたら、出版元まで書面にてご連絡ください。

(3) 本書の内容に関して運用した結果の影響については、上記 (2) 項にかかわらず責任を負いかねます。あらかじめご了承ください。

(4) 本書の全部または一部について、出版元から文書による承諾を得ずに複製することは禁じられています。

(5) 商標

本書に記載されている会社名、商品名などは一般に各社の商標または登録商標です。

はじめに

　今後、ますますグローバル化やIT化が進むことが予想されます。急激に変化する社会の中で、私たちも変わっていかなければなりません。そして、これからの社会を担う子どもたちにも社会を生き抜く力を身につけられるような教育を行っていかなければなりません。

　本書で紹介する「STEM教育」は、グローバル社会、IT社会に適した国際競争力を持った人材を生み出す、いま求められている教育法です。科学（Science）、技術（Technology）、工学（Engineering）、数学（Mathematics）の4つの学問を横断的に学ぶことで、科学技術やIT技術に秀でた人材を生み出すことができると考えられています。

　しかし、これからの社会で求められているのは単に「理系に強い」人材ではありません。自発性や創造性、問題解決能力を持った、「自分で考え、行動していける」人材です。従来のような「先生が教えて、生徒が覚える」「テストのために知識を詰め込む」といったスタイルの学びでは、それらの力を養うことは難しいです。新たな時代に求められている力を養うことこそが「STEM教育」の本質的な狙いです。

　今後、STEM教育を受けていくであろう子どもたちを、STEM教育を受けてこなかった私たちがどのように導いていったら良いのか。まずは、私たち教える側である大人も子どもたちと一緒にSTEM教育に触れ、学んでいきましょう！

　そして、本書がもう一度「勉強」とは何なのかを考え直すきっかけになれば幸いです。

松村佳奈

図解ポケット
STEMがよくわかる本

CONTENTS

STEMの基礎知識

　本章ではSTEMの定義や注目される背景など、基礎知識について解説します。いま世界的に必要とされているSTEM人材の概要や仕事内容についてもまとめます。

STEMとは？

1990年代に、科学技術人材の育成を目的とした教育政策として注目され始めたSTEMについて解説します。

1 STEMの定義

STEMとは、**科学** (Science)、**技術** (Technology)、**工学** (Engineering)、**数学** (Mathematics) それぞれの頭文字をとった言葉です。この4つの学問を横断的に学んでいくことをSTEM教育といいます。

分野にとらわれることなく、自由に学ぶことで、次の力を身につけることができると考えられています。

①課題を自ら見つける力
②物事を様々な角度から捉え、解決する力
③新しい価値を創造する力

日本では2020年度から小学校でのプログラミングの授業が必修化されました。学校だけでなく、自由にSTEM教育が受けられるスクールや教材が増えてきています。

プログラミングの授業はSTEM教育における「T（技術）」の分野だけでなく、STEMの目的である「自分で考える力」を養うことを目的としています。

FIGURE 1 STEMの4分野と特徴

● STEMの4分野

S Science（科学）

T Technology（技術）

E Engineering（工学）

M Mathematics（数学）

● STEMの特徴

教科横断的な学び

今後の社会で必要な力を身につけられる

STEM教育のはじまり

STEM教育のはじまりと、どのように世界中に広まっていった
かについて解説します。

1 STEMは、最初はSMETといわれていた？

STEM教育のはじまりは、1990年代のアメリカです。国際競争力
を高めるための、科学技術人材の育成を目的とした教育政策として
注目され始めたといわれています。**アメリカ国立科学財団（NSF***)
の理事長補佐であったジューディス・マラレイ博士が2001年に
STEMと命名しました。

しかし、STEMと命名される以前にNSFでは、**SMET**という用語
が使用されていました。STEMとSMETは並び順が違うだけで、要
素は同じです。Journal of SMET Educationという雑誌もすでに
刊行されていました。

では、なぜSMETがSTEMに呼び名が変更されたのでしょうか。
それは、SMETの発音がsmut（汚れ、すす、猥談などの意味）の発
音に似ていることにある幹部職員が不満を漏らしたからという理由
があるようです。

2 STEM教育の広まり

現代では世界中に広まっているSTEM教育ですが、広まるきっか
けとなったのは、アメリカのオバマ元大統領の演説です。2009年

＊ **NSF**　National Science Foundation の略。

4月に就任間もないオバマ元大統領は、米国科学アカデミーの演説の中でSTEM教育の重要性を強調しました。2013年には、**国家科学技術会議**（**NSTC**＊）が、国家としてSTEM教育への投資に力を入れていくことを示した**STEM教育五カ年計画**を発表しました。その年のコンピュータサイエンスエデュケーションウィークの開催にあたり、オバマ大統領は国民に次のようなメッセージを投げかけました。

> 「新しいゲームを買うだけでなく、創ってみよう！
> 最新のアプリをダウンロードするだけでなく、
> デザインしてみよう！
> スマホで遊ぶだけでなく、プログラミングしてみよう！
> プログラミングを学ぶことはあなたの将来にとって
> 重要なだけではない。国の将来がかかっている」

この言葉は多くの国民の心に響いたに違いありません。

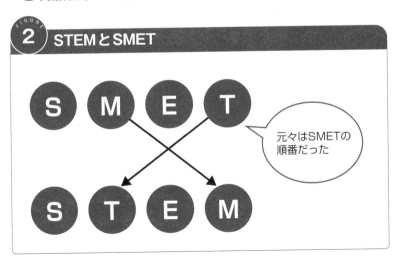

FIGURE **2** STEMとSMET

元々はSMETの順番だった

＊ **NSTC** National Science and Technology Council の略。

STEMはなぜ注目されているのか

STEM教育が、いま世界中で注目されている理由を解説します。

1 今後のテクノロジー発展のため

近年、テクノロジーが急速に発展してきているのは、みなさん感じていると思います。AIやIoT*が搭載された家電を利用している方も多いのではないでしょうか?

今後のテクノロジーの発展を考えると、現在人間が担っている仕事をAIやロボットが行うことが予想されます。

そして、テクノロジーを発展させる側の人材が必要不可欠です。STEM教育は、そうした人材に求められる理数系の知識を横断的に学ぶことができるため、注目されているのです。

2 理数系の知識を得ることだけがSTEMの目的か?

STEM教育の内容から、理数系の知識を得ることを目的とした教育法と思われがちかもしれません。しかし、それだけではなく、様々な角度から物事を捉える力を養うことができる点も注目されている理由です。

多様化が進む今日の社会。分野を問わず活躍する人材を今後育てていく必要があります。そういった点からもSTEM教育は現代に合った教育法だといえます。

* IoT　Internet of Things の略。

FIGURE 3 IoTのイメージ

IoT（Internet of Things）とは、モノがインターネットに接続されることで通信機能を持つことをいいます。

電子レンジ

音声対話で献立
の相談ができる

洗濯機

天候に応じた
洗濯方法を
提案してくれる

エアコン

外出先から
運転ON・OFF

建物

窓やドアの
閉め忘れを
教えてくれる

冷蔵庫

自動で庫内を
撮影→スマホ
で確認できる

自動車

自動運転の実現

STEM人材とは？

STEM人材といわれる人は、理系の人だけなのでしょうか？
どんな人のことを表す言葉なのか解説します。

1 STEM人材といわれる人とは

STEM人材とは、STEM教育を受けた人のことをいいます。将来
の科学発展に貢献する人材のことで、そのような人々を育成するこ
とが、STEM教育の目的でもあります。

また、前節でも述べたとおり、様々な角度から物事を捉え、解決し
ていく力を身につけることもSTEM教育の目的です。STEM人材
とは理系の人だけを指す言葉ではなく、多様化が進む社会で活躍し
ていけるすべての人を指します。

2 STEM分野で働く人は理系だけなのか

理系以外の人もSTEM人材というとはいえ、STEM分野で働くと
なると、やはり理系でないと難しいのでは？　と思われるかもしれ
ません。

いままで理系分野の勉強は中学校か高校までしかしてこなかった
という文系の人もいるでしょう。自分がもしそうだったとして、
STEM分野に新たに飛び込むことができますか？　理系の研究職を
目指したいと思ったとしても、知識や技術を身につけるために多く
の時間を費やすことが必要になります。やっぱり、理系じゃないと
STEM分野で働くのは難しいかも……と思われましたね？

しかし、科学者だけが科学の発展に関わっているわけではありません。科学者をサポートする人（例えば、研究費を調達してくれる人、施設を整備してくれる人など）も必要不可欠です。こうした職業に就くには、理系か文系かは問われません。STEM分野を広い視点でとらえてみれば、必ずしも知識や技術の習得が必要とならない場合もあるのです。

とはいえ、やはり科学者のように先陣を切って科学の発展に貢献するためには、専門の知識を身につけなければなりません。いまからSTEM教育を受ける子どもたちには、そのハードルを少しでも下げてもらえたら嬉しいです。

FIGURE 4 研究所の職業

研究者　施設管理者　試薬営業　機械営業　事務担当

一般的にはSTEM人材だと思われにくいが、全員がSTEM人材！

STEM人材の職業や仕事内容について

STEM人材はどのような職につくのでしょうか。イメージどおりの理系の職業のほか、STEM職業に当てはまるものを解説していきます。

1 アメリカで人気のある職業

STEM人材について紹介しましたが、具体的にSTEM人材はどのような職業についているのでしょうか？　前節で紹介したように、STEM人材は必ずしも研究所で実験をしたり、博士号を取得している人というわけではありません。例えば、STEM教育が広く認知されているアメリカでの例を見てみましょう。アメリカでは給与が高く、失業の可能性が低いという理由でSTEM関連の職業に人気が集まっています。

アメリカの大手情報サイトである「U.S. News & World Report」の調査によると、2023年のランキングにて、3位は医療や保険のサービス管理者（年収は10万ドル、約1400万円）、2位は看護師（年収は12万ドル、約1680万円）、そして1位はソフトウェア開発者（年収は12万ドル、約1680万円）でした。

2 医療関係の職業はSTEM職業か

1位はソフトウェア開発者でしたが、3位と2位は医療関係の職業でした。ソフトウェア開発者はSTEM関連の職業だと認識しやすいですが、医療関係の職業はSTEM関連の職業だと思われたでしょうか？　あまりそのようなイメージはなかったかもしれません。ですが、医療関係の職業では、日常的に電子カルテが使用されており、

STEMの知識や技術が必須といえるほど重要になっています。また、先進国では医療の発展により高齢者の数が急増しており、医療関係の仕事の求人需要が高まっています。そういった求人需要に応えるためにもSTEM教育の重要性が高まっています。

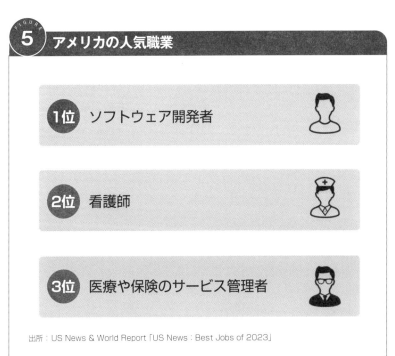

FIGURE 5 アメリカの人気職業

1位 ソフトウェア開発者

2位 看護師

3位 医療や保険のサービス管理者

出所：US News & World Report「US News：Best Jobs of 2023」

3 意外なSTEM職業

では、その他にはどんなSTEM職業があるでしょうか。明確なSTEM職業というくくりはありませんが、主には理工系の職業が当てはまります。科学者や、技術者などです。

他には、科学的に物事を考える職業がSTEM職業であるといえます。料理家や歴史学の専門家などがそれに当たります。

料理のレシピの開発には、食材の成分や栄養素、特性をデータ化し、より良い調理法を導き出す必要があります。例えば、肉の調理法を科学的に考えてみましょう。肉に熱が入り始める温度は45℃で、65℃を超えるとタンパク質が急激に収縮し、66℃から肉の水分も流出していき肉汁が失われてしまいます。科学的に考えると、45℃から65℃までの加熱をゆっくりと時間をかけることで、うまみが詰まった肉汁を流出させずに調理できることがわかります。

　料理をしたことがある人だったら、強火で肉を焼いたら固くなってしまうから、弱火で調理して柔らかく仕上げよう、といったことが感覚的に思い浮かぶかもしれません。それらは、科学的根拠によって成り立っています。

　歴史学の専門家もSTEM職業かと驚かれた方もいるかもしれません。しかし、歴史上の出来事を検証するときにはデータを収集し、数理的に考えることが重要になってきます。

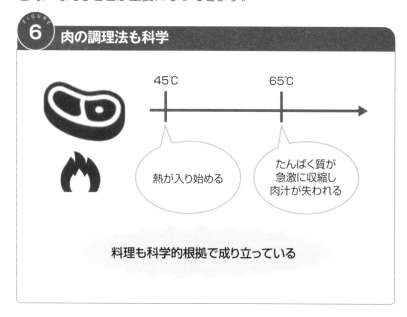

FIGURE 6　肉の調理法も科学

45℃　　　　65℃

熱が入り始める

たんぱく質が
急激に収縮し
肉汁が失われる

料理も科学的根拠で成り立っている

　例えば1582年の「本能寺の変」を考えてみましょう。本能寺へと向かった兵士の数は約1万4000人であるといわれています。この兵士が同じルートから攻めたら1万4000人の列ができるわけです。2ルートに分かれていたとしても、7000人ずつの列ができます。その人数が進めるだけの道幅や戦いにかかった時間がどれくらいかといった要素を検証すると、「本能寺の変」の実際の戦いの様子などが見えてくるでしょう。

　もしかしたら、いままでの説との矛盾を見つけたり、謎に包まれていた事実を発見したりすることもできるかもしれません。そういった意味で、STEM的な要素で物事を考えることはどんな職業でも重要です。広い意味では、こうした職業もSTEM職業といえます。

FIGURE 7 　STEM職業の例

イメージどおりの理系!

科学者　　　　技術者

物事を科学的に考える職業 STEM職業!

料理家　　　　歴史の専門家

STEM教育はなぜ必要なのか

STEM教育が今後の社会になぜ必要なのかを解説します。

1 AIに仕事を奪われる時代？

今後、技術の進歩により、自分の職業がAIに取って代わられることを不安に思っている人もいるのではないでしょうか。

AIの発展により、なくなってしまうと考えられる職業の1つとしてコンビニ店員が挙げられます。2020年3月に開業したJR山手線「高輪ゲートウェイ駅」構内に無人決済店舗「TOUCH TO GO」がオープンし、話題を呼びました。

近所のスーパーやコンビニのセルフレジを利用したことがある人も多いと思います。使い方がわからず、店員に来てもらった人もいるかもしれません。しかし、これからは、生まれたときからAIが生活空間に当たり前にあり、感覚的に使いこなせる世代が増えていくことでしょう。その世代が開発に関わり、ますます技術が進歩していくことが予想されます。

2 AIに奪われない仕事をするために

逆に、AIが発達してもなくならない職業として、ITエンジニアや営業職が挙げられます。AIが苦手とするゼロから何かを作り出すことやコミュニケーションをとることを必要とする職業は、なくならないといわれています。

STEM教育によって身につけられる力は、まさにそのような力です。AIに取って代わられない力を子どもの頃から身につけるためにSTEM教育は必要なのです。

8 STEM教育が必要な理由

▼接客ロボット

これからますますAIが当たり前にある時代に

▼セルフレジ

AIに取って代わられない仕事、AIが苦手なことを仕事にするためにはSTEM教育が必要

AIと差別化できる仕事①
AIが得意なこと

人間がAIと差別化できる仕事とはどのようなものでしょうか。
まずは前提として、AIの概要と得意なことについて解説します。

1 そもそもAIとは

AIとは人工知能という意味をもつArtifical Intelligenceの頭文字をとった言葉です。AIは言葉のとおり、人間の脳が普段している学習や認識、予測などをコンピュータによって再現するシステムのことです。

AIは2種類に分けることができます。**特化型AI**と**汎用型AI**です。特化型AIは画像認識や音声認識のように限られた単一のタスクをこなすものです。例えば、気象データを分析して天気を予測する天気予報や、ドライバーが行っている認知や判断などを代わりに行う自動運転システムなどです。利用したことのあるAIを思い浮かべていただければわかると思いますが、現在実用化されているAIはほとんど特化型AIに含まれます。

汎用型AIは、単一のタスクにとどまらず、様々な役割や課題を処理できるAIのことです。SF映画に出てくる人間の知能をもったAIに近いイメージです。アニメのドラえもんも汎用型AIですね。今後、人間の脳のメカニズムの解明が進むことで、脳内での処理方法が明確になれば、リアルな感情を持ったAIが世に出てくるかもしれません。

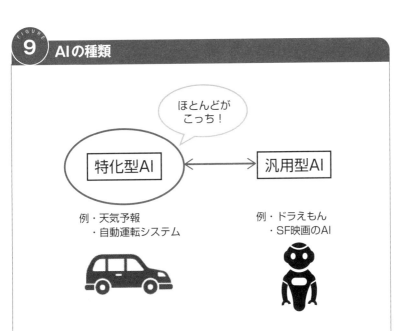

FIGURE 9 AIの種類

ほとんどがこっち！

特化型AI ⟷ 汎用型AI

例・天気予報
・自動運転システム

例・ドラえもん
・SF映画のAI

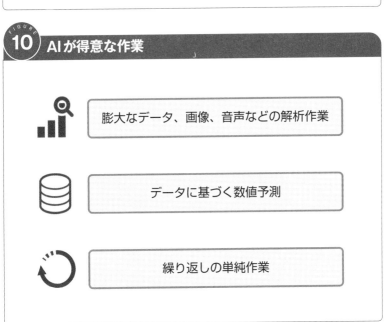

FIGURE 10 AIが得意な作業

膨大なデータ、画像、音声などの解析作業

データに基づく数値予測

繰り返しの単純作業

　AIが得意なことといえば、様々な解析作業です。膨大なデータを処理したり、画像や音声、映像などのテキストベースでないデータを高精度で解析したりすることができます。データの処理は人間でもできることですが、AIに任せた方が早くて正確で、何より楽ですよね。また、テキストベースでないものを調べるとき、言語化して調べるには限界がありますが、AIを利用すれば簡単に調べることができます。

　例えば、道を歩いているときに発見した草花の種類を知りたい場合、ネットが発達していない時代であれば図書館に行って植物図鑑で調べたりしていたと思います。ネットで検索できるようになってからは、草花の特徴を言語化して検索したり、写真を投稿して草花の種類に詳しい人に聞いたりできるようになりました。とはいえ、なかなかうまくいかない場合もあるでしょう。

　もっと難しいのが、聞き覚えのあるメロディーの曲名を調べるなど、視覚情報でない、言語化が難しいものを調べることです。AIが発達する前は、CDを聞きあさったり、音楽の知識のある人にメロディーを聞かせて教えてもらうといった方法でしか答えを得られませんでした。しかし、それでも正確な答えが得られるとは限りません。

　AIが発達した現代では、そんな言語化できないものを調べるのにうってつけの検索に特化したAIがあります。画像を検索するときは、**Google**レンズが便利です。また、音楽検索は、Googleの音声検索で音楽を聴かせれば曲名を教えてくれます。音源だけでなく鼻歌でも検索できるというのがすごいところです。

　こういった繰り返しの単純作業や、人間にもできるけれど少し難しいことなどがAIの得意な作業です。

11 Google レンズでできること

植物や動物を撮影して 種類を調べる	建物を撮影して歴史や 営業時間を調べる
食事を撮影してメニューや 店を調べる	商品を撮影して値段や ブランドを調べる
文字を撮影して意味や 単語を調べる	教科書を撮影して解き方や 数式を調べる

カメラで撮影するだけで
様々な情報を得ることができる!

25

AIと差別化できる仕事②
AIが苦手なこと

AIが苦手なこととAIにとって代わられない仕事について解説します。

1 AIの苦手な作業は？

逆にAIが苦手な作業とは何でしょうか。それは、ゼロから新しいものを作り出すことや、コミュニケーションをとること、合理的でない判断を下すことなどです。

・ゼロから新しいものを作り出すこと

クリエイティブな作業は人間の専売特許です。AIが何かを作り出すためには過去のデータを取り込んで学習する必要があります。裏を返せば、学習すれば再現することはできます。AIが生成したイラストを見たり、AIに作らせたりしたことがある人もいるのではないでしょうか。しかし、それはあくまで再現であり、ゼロから作り出すことはできません。

・コミュニケーションをとること

AIはコミュニケーションをとることが苦手です。なぜなら、「空気を読む」ことができないからです。相手の気持ちを汲み取ったり、場に合わせたりなど、その時々で臨機応変な対応をしなければならない状況がAIは苦手です。

・合理的でない判断を下すこと

　判断を下すとき、人間は迷ったり間違えたりします。ですが、AIは厳密なルールに則って判断を下すため、迷うこともルール上間違うこともありません。しかし、常に合理的な判断をすることが正しいのでしょうか。人間はいろいろな事情からときには合理的判断をしないという選択肢を選ぶことがあります。例えば、ダイエットをしているときに友人に手作りのお菓子をプレゼントされたらどうしますか？　合理的な判断をするのであればもらわない、食べないといった選択肢を選ぶでしょう。しかし、多くの人は断れないのではないでしょうか。その心理としては、友人を傷つけたくない気持ちや、自分への甘さなどがあるかもしれません。そういった様々な事情から合理的でない判断を下すことができるのは人間ならではです。

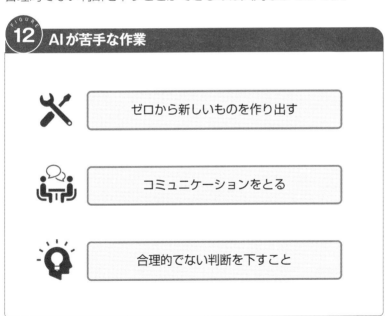

FIGURE 12 AIが苦手な作業

ゼロから新しいものを作り出す

コミュニケーションをとる

合理的でない判断を下すこと

2 AIに取って代わられない仕事とは

　AIが苦手なこと、それらはいわゆる人間らしさといえるのではないでしょうか。もし、AIがそういった人間らしいことをするようになったとしても、それは人間らしくするようにプログラムされているというだけです。自然と人間らしいことをするAIはありません。

　1-6節では、AIに取って代わられない仕事として、ITエンジニアと営業職を挙げました。ITエンジニアはゼロから作り出すこと、営業職は人とのコミュニケーションをすることが求められる仕事です。それ以外にもAIが苦手で、人間しかできないことをする仕事はAIに取って代わられる心配は少ないでしょう。例えば、クリエイター職、カウンセラー、保育士などです。STEM教育によって、人間にしかない能力を伸ばすことが将来の職の選択肢を広げることにつながります。

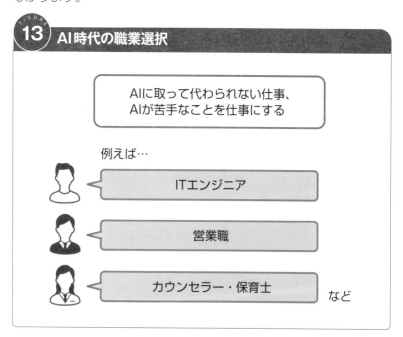

FIGURE
13 **AI時代の職業選択**

AIに取って代わられない仕事、
AIが苦手なことを仕事にする

例えば…

ITエンジニア

営業職

カウンセラー・保育士　　など

9 STEMから派生した教育方針

STEM教育に似ている他の教育方針について聞いたことはありませんか？ それぞれ解説していきます。

1 STEAM教育

STEM教育に**Arts**（**芸術・リベラルアーツ**）を加えた教育方針です。STEMの理数教育に創造性教育が加わりました。STEM教育で技術的な知識や論理的思考力を身につけるとともに、創造力や表現力を身につけることを目的としています。日本では特にこの創造性が重要であるといわれています。

FIGURE 14 STEAM

STEM+**A**rts
芸術

2 STREAM教育

STEAM教育にRの要素を加えた教育方針です。このRは、一般的には**ロボット**あるいは**ロボット工学**の「R」であるとされています。他にも**Reading**（**読解力**）、**Reality**（**現実性**）、**Reviewing**（**評価**）としている識者もいるようです。どの言葉を当てはめるにして

も、ロボットを使って実現性を評価する能力を身につけることが目的となっています。単にプログラミングを学ぶだけではなく、ロボット技術を実体験し、学びを深めることを目指す教育です。

FIGURE
15 STREAM

STEM + R
Robot
Reading
Reality
Reviewing

ロボット、読解力、
現実性、評価

3 E-STEM

STEM教育にEnvironment（**環境**）を加えた教育方針です。経済発展に伴う環境への影響を学び、持続可能な社会の実現を目指すことを目的としています。近年、かつてない天候の異変や、環境中のウイルスの流行によって社会は大きなダメージを受けました。こうした状況の中で、環境に関わる課題を自然科学の知識や技術で解決する人材の育成が求められています。

FIGURE
16 E-STEM

STEM + Environment
環境

4 GEMS

　GEMS（Great Explorations in Math and Science）とは、幼稚園から高校生までの年代を対象とした科学・数学領域の参加型プログラムです。アメリカのカリフォルニア大学バークレー校の付属機関であるローレンスホール科学教育研究所で開発されています。体験をベースにした科学・数学学習によって基礎知識を身につけるとともに、自分で考え、学ぶ姿勢を育てることを目標としています。日本ではジャパンGEMSセンターがGEMSのワークショップを開催しています。科学や数学を楽しむために、必ずしも難しい言葉が必要というわけではありません。楽しく学ぶことで、「理科嫌い」や「理科離れ」をなくしていくことが期待できます。

5 GEMSのもう1つの意味

　実はGEMSにはGirls in Engineering Math and Scienceという意味もあります。女性のSTEM分野への進出をサポートするプログラムです。世界的にSTEM教育での男女格差が問題となっています。GEMSを普及させることによって男女格差をなくし女性の社会進出を促すことを目指しています。

FIGURE 17 GEMS

Great Explorations in Math and Science
➡科学・数学領域の参加型プログラム

Girls in Engineering Math and Science
➡女性の進出をサポートするプログラム

社会人からのSTEM教育

社会人になってからSTEM分野に興味が出てきたり、STEM分野への転職を考え始めたりしたときには、どのように学ぶ方法があるのか紹介します。

1 社会人になってから学ぶ方法は?

学生の間は学校に通っているだけで、自然と様々な分野について学ぶことができていたと思います。しかし、社会人になってからは自分から学ぼうという姿勢でいないとなかなか新しいことを学ぶことはできません。まずは、興味があることや学んでみたいことに関連する書籍を読んだりインターネット検索をしたりしてみましょう。

また、子ども向けのSTEM教育教材でも、大人が楽しく学べるものがたくさんあります。そういったものも積極的に活用していきましょう。

2 リカレント教育

リカレント教育という言葉を聞いたことはあるでしょうか? より本格的に学びたい、資格を取って仕事に役立てたいという方はリカレント教育の制度を利用するのが良いでしょう。

リカレントとは「繰り返す」「循環する」という意味で、リカレント教育とは社会に出たあとも再び教育を受け、仕事と教育を繰り返すスタイルのことです。日本では、仕事を休まずに学び直すスタイルもリカレント教育に含まれます。また、仕事と並行して学ぶことは**リスキリング**ともいいます。

リカレント教育については、国からの支援を受けることができます。STEM分野に関わらず、興味があることや今後仕事で必要となってくることなどを学ぶことができます。

リカレント教育を始めてみたいと思った方は、文部科学省が運営しているウェブサイト「マナパス」にアクセスしてみましょう。社会人の学びについての情報がまとめてあります。週末や夜間の講座、オンライン授業などもあり、仕事をしながらでも受けられるようになっています。条件で絞って講座を検索することや、最新のトピックから講座を探すこと、講座を受講した人たちの経験談を知ることなどができます。

18 マナパスのウェブサイト

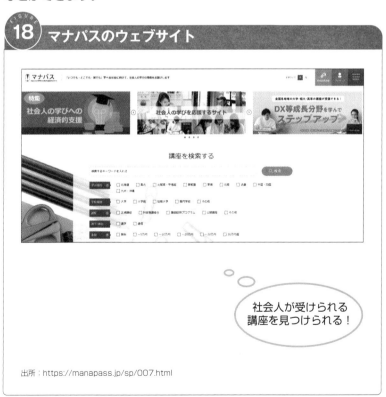

社会人が受けられる講座を見つけられる！

出所：https://manapass.jp/sp/007.html

③ 社会人向けの支援制度

社会人から学びたい人が活用できる支援制度もあります。例えば、下記のようなものがあります。

・教育訓練給付金

厚生労働大臣が指定する教育訓練を受講した場合、自ら負担した受講費用の一部が支給される制度です。雇用保険の加入期間が１年以上（講座によっては２年以上）あることが支給条件になっています。

・ハロートレーニング（公共職業訓練・求職者支援訓練）

キャリアアップや希望する就職を実現するために、必要な職業スキルや知識を習得できる制度です。年間約２６万人が受講しており、子育て中でも受講できるよう託児サービス付きの訓練もあります。受講に関する手続きはハローワークで行うことができます。

・奨学金制度（貸与型）

日本学生支援機構の奨学金は、貸与の審査において年齢制限を設けていないため、社会人の学び直しにも活用できます。

・キャリアコンサルタント・キャリアコンサルティング

キャリアの形成や職業能力開発などについての相談をすることや、アドバイスをもらうことができます。キャリアコンサルタント検索システム「キャリコンサーチ」で国のキャリアコンサルタント名簿に登録しているキャリアコンサルタントを検索することができます。

お菓子作りは科学か

　1-5節で、料理は科学的根拠によって成り立っているという話をしました。私は趣味がお菓子作りで、よくお菓子を作るのですが、「お菓子作りこそ科学的根拠が重要だなぁ」と感じます。

　昔、スポンジ生地のレシピを見て砂糖が多いなと思って減らしてしまったことがありました。砂糖は甘くする以外にも役割があるということに思い当たらず、単純に「そんなに甘くなくてもいいかな」と思って減らしてしまったのです。その結果、生地がパサパサになってしまい、甘さ控えめにする以外の影響が出てしまいました。

　砂糖には甘さを加える以外に、水を吸着して保持する性質があります。スポンジ生地をオーブンで焼くとき、オーブン内は高温で乾燥した空気が充満しているので、スポンジ生地は水分を蒸発させながら焼きあがります。このとき、砂糖が少ないと、保水性が弱く、蒸発が進んでしっとり感が失われてしまうのです。その他にも、アミノカルボニル反応で焼き色を付けたりなど、砂糖にはいろいろな役割があります。そういった科学的な情報を知ったことで、むやみにレシピを変えるのはやめようと思いました。みなさんもそういったことはありませんでしたか？

　料理、特にお菓子作りは科学の実験のようだと思っています。料理やお菓子作りが好きな人は、どうしてそのようなレシピになっているのか考えてみたら、もっと楽しくなるかもしれません。私はレシピを無視してちょっと失敗したりもしてしまうのですが、そこは性格が大いに関係していると思います。仕事ではそういう面が出ないように頑張っているつもりですが、日常生活ではうまくいきませんね（笑）。

MEMO

CHAPTER

2

STEM教育の4分野

　STEMは4つの学問の頭文字を取った言葉ですが、それぞれの分野が関わり合って、科学技術を発展させることができています。それぞれの分野について詳しく見ていきましょう。

STEM 分野を学べる学科

大学には名前からどんなことを学ぶのか想像しやすいものから、何をしているのかわからないものまで、様々な学科があります。STEM分野を学べる学科について解説します。

1 大きく3つの分類がある

　学科系統は、**自然科学**、**社会科学**、**人文科学**の3つに大きく分けられます。そのほか、様々な学問を横断して学べる総合的な学科があります。

　学科系統の3つについて、違いをご存知でしょうか？　自然科学は理系、社会科学と人文科学は文系に分類されます。どの学問も、科学的手法でアプローチするという共通点があります。2-2節でも触れますが、この世界は様々な法則によって成り立っているので、この世界の出来事はすべて科学といえます。ですから、学問はすべて科学的手法で解明していく必要があります。

　自然科学は小学校で理科と呼ばれていたもの全般だとイメージしていただければわかりやすいと思います。自然現象を科学的手法を用いて解明していく学問です。物理、化学、生物など簡単に思い浮かべることのできる理系科目以外に情報科学や栄養学なども自然科学に分類されます。

　社会科学は人間と人間の関係から生み出されたものを研究する分野です。法学や政治学、経済学などです。法学は人と人の間に存在するルールの研究をし、政治学は人と人の権力関係の研究をし、経済学は人と人の間に発生する物の生産や交換などについて研究をします。すべては人間関係を良好に保つために必要となってきます。

　人文科学は文学や哲学、心理学などです。言語や思想、感覚など人間の内面が創り出したものを研究する分野です。創り出したものといっても、文学のように形に残るものや哲学といった形に残らないものも両方あります。

2 STEM 分野を学べる学科はどれか

　STEM 分野といっても多岐にわたりますので、この学科に入れば間違いないといったものはありません。とはいえ、一般的には自然科学の分野にあたる学科に入ることで理系の学問を学ぶことができます。

　次節からは、STEM の要素について1つひとつ見ていきましょう。

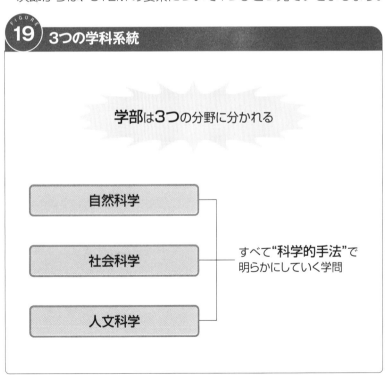

FIGURE
19　3つの学科系統

学部は**3つ**の分野に分かれる

自然科学

社会科学

人文科学

すべて**"科学的手法"**で
明らかにしていく学問

科学① 科学の概要

STEMのSにあたる科学について、どのような学問であるかを解説します。

1 科学ってどんな学問？

科学とは観察と観測、実験結果をもとに法則性を見つけ出すことを目的とした分野です。

子どもの疑問は科学に関するものが多いと思いませんか？ 例えば、「なぜ海は青色なの？」「どうして6月は雨が多いの？」といった疑問を子どものときに持った方は多いのではないでしょうか。前節でも触れたとおり、この世界は法則によって成り立っているので、この世界で起きるあらゆることが「科学」といえるのです。ですから、日常生活で疑問に思うことは観察や観測、実験によって解明できることがほとんどです。

2 子どもの疑問が科学教育に必要

大人になると子どものときに疑問に思っていたことは当たり前のことだといちいち考えずに過ごしてしまうことが多いと思います。子どものときの疑問に思う心、知りたいと思う心を大切にすることのできる大人を育てることが科学教育にとって大事なことです。科学技術の発展に貢献できる人材を育てるためにも、子どもの疑問を大切にしていきましょう。

　子どもは遊びの中で自然に「科学」をしています。例えば、アリの行列を追って巣に入っていく様子を観察したり、葉っぱを拾って種類による違いを発見したり、違う形の紙飛行機を作ってどれが1番遠くまで飛ぶか実験したりすることも科学といえます。

　「科学」は特別に難しいものではなく、日常にありふれたものです。科学を教える立場である大人たちが認識を変え、楽しいものであると伝えていくことが、未来の技術者をつくるのではないでしょうか。

FIGURE
20　科学は日常にありふれたもの

科学　観察と観測、実験結果をもとに法則性を見つけ出すことが目的

なぜ海は
青色なの？

どうして6月は
雨が多いの？

この世界で起きたあらゆることが
「科学」といえる！

科学② 科学は何に役立つか

科学で学べることや、科学が社会においてどんなことに役立つ かについて解説します。

1 科学ってどんなことを学ぶの？

科学は、自然界での法則や理論、概念を学びます。これだけだと 難しそうに聞こえるかもしれませんが、分解するともう少しわかり やすくなります。科学は様々な意味を含んでいますが、一般的に科 学といわれている「自然科学」では、「化学」「物理」「生物」「地学」 を含んでいます。俗にいう、理系科目と呼ばれるもの全般のことで すね。

2 科学ってどんなことに役立つの？

前述のとおり、科学は身の回りの謎を解明することに役立ちます。 「空が青い理由」「りんごが地球の中心に向かって落ちる理由」「ヒ トがどのような進化を辿ってきたか」などを研究する際に、科学の 知識は必要不可欠です。

大人になってからは特に疑問に思わないようなことであっても、 様々な先行研究によりすでに解明されていたり、これから解明しよ うと研究している人がいます。人々が便利に快適に暮らしていける のはそういった疑問の解明により生み出された技術のおかげです。

21 科学とは

科学

理系科目全般が含まれる!

技術① 技術の概要

STEMのTにあたる技術について、どのような学問であるかを解説します。

1 技術ってどんな学問？

技術とは、最適な条件や仕組みを見つけ出し、生活に利用する分野のことです。中学校で技術の授業を受けた方がほとんどだと思います。技術の授業では、のこぎりを使って木材を切って何かを作ったり、半田ごてを使って回路をつないだりします。

小学校に上がる前には折り紙を折ったり、ブロックを組み立てたりして遊んだりすると思います。それらも、立派に技術を学んでいることになります。また、折り紙を折るときにどの順番で折っていくか考えたり、ブロックを組み立てるときに倒れないように積み上げる方法を考えたり……。それらもすべて技術につながることです。

2 技術教育の問題点

近年、安価で便利な製品の過供給、ものづくり体験の激減、技術教育時間の削減により子どもたちの技術リテラシーが低下しています。自分で作り出す必要性を感じづらくなってきているのだと思います。小学校に上がる前に技術に触れ、学ぶ機会を増やしていくことが大切です。

22 小学校以前でも技術は学べる

技術	最適な条件や仕組みを見つけ出し、生活に利用する分野

折り紙をどの順番で
折っていくか考える

ブロックを倒れない
ように積み上げる
方法を考える

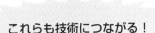

これらも技術につながる！

小さい頃から
学ぶ機会を増やして
いきましょう！

技術②　技術は何に役立つか

技術で学べることや、技術が社会においてどんなことに役立つかについて解説します。

1　技術ってどんなことを学ぶの？

技術では、「体験」と「経験」が主なテーマです。道具の使い方、なぜこのような処理を施すのか、机の上だけではなく実際に体験して経験して学んでいく、実践型の学問です。また、実際に体験しながら性質やコツを学んでいくことで、目的までの筋道を作り上げる想像力を鍛えることもできます。

実践型の学問ではありますが、その前提として技術の基礎となる科学的な知識も学びます。そしてその知識を利用する技能を実践形式で学んでいきます。

2　技術ってどんなことに役立つの？

技術の知識はものづくりの分野全般に役立ちます。とはいっても、学校の技術の授業で習う内容なんて、社会で専門の職業に就いたら1日目で習うようなことばかりかもしれません。しかし、技術の授業を受けて知識を得ることで、ものづくりへの興味が湧き、ものづくりの道へ進む学生も出てくることでしょう。技術の授業は、ものづくりの道へ進む学生の足がかりとなっているのかもしれません。技術教育は技術開発、発展の基盤を支えることにつながります。

FIGURE 23 技術で身につく力

道具をどのように
使うのか？

なぜこのような
処理を施すのか？

実際に体験しながら性質やコツを学ぶ

目的までの筋道を作り上げる想像力が鍛えられる

工学① 工学の概要

STEMのEにあたる工学について、どのような学問であるかを解説します。

1 工学ってどんな学問?

工学とは、科学の知識を使って仕組みをデザインし、社会に役立つものづくりをする分野のことです。これは、技術を学んでそれをどのように利用したら社会に役立つものができるのか考えていく学問といえます。

工学が、STEMの4つの分野の中で一番想像しにくい分野かもしれません。工学の分野はとても広いため、大学の学科では、**電気工学**や**遺伝子工学**、**機械工学**といった、工学に何かついているものが一般的です。工学とは何かと考えるときは、ある分野の知識を応用して社会に役立つものを作っていくという風に考えるとイメージしやすいと思います。自分の持っている知識を使って何かを作り上げることによる成功体験を得やすいのは、この分野かもしれません。

2 工学の4つの領域

工学は、主に4つの領域に分けられます。電気、建築、化学、機械の4つです。それぞれの領域で学んだことを応用してものづくりに活かしていきます。

①電気・電子・通信工学系

ものを動かすエネルギーとしての電気と情報を伝える道具としての電気を研究します。

②建築・土木・環境工学系

　人々が安心して生活するために必要な建築物や都市環境について研究します。

③応用化学系

　人々の生活を豊かにする新しい物質の開発のため、実用化を念頭に生物学や化学の研究をします。

④機械工学系

　快適で安心して使える機械を考案・設計・製作をするための研究をします。便利さだけでなく少ないエネルギーで動く環境に配慮している機械の開発が求められています。

FIGURE 24　工学の4つの領域

工学　科学の知識を使って仕組みをデザインし、社会に役立つものづくりをする分野

①電気・電子・通信工学系
電気に関する研究を行う。

②建築・土木・環境工学系
建築物や都市環境に関する研究を行う。

③応用科学系
物質開発に関する研究を行う。

④機械工学系
機械の設計・製作に関する研究を行う。

工学② 工学は何に役立つか

工学で学べることや、工学が社会においてどんなことに役立つ
かについて解説します。

1 工学ってどんなことを学ぶの？

工学では、ものづくりに必要なすべてを学びます。一口に物を作
るといっても、その方法は様々です。例えば、あなたがロボットを
開発するとしましょう。どんなロボットが作りたいですか？ 速く
走るロボット、人を持ち上げるロボット、水の中でも自由に動き回
れるロボット……など様々なアイディアを思いつくかもしれません。

これらを作るためには、それぞれに専門的な知識が必要になりま
す。材料、電気系統、プログラムなど、たくさんありすぎてここで
は書ききれませんが、これらはすべて工学を学ぶ中で習得していく
ことです。

2 工学ってどんなことに役立つの？

例えば、福祉の分野で活躍しています。身体の不自由な人や高齢
者のサポートといった、社会に役立つものづくりに利用されていま
す。

前述したように、工学は主に4つの領域に分けることができます。
それぞれの領域の知識だけでなく、いくつかの領域の知識を合わせ
て活用することでシステム作りからロボットの開発まで、幅広く役
立っています。

25 工学の4つの領域

CHAPTER

2

STEM教育の4分野

電気・電子・
通信工学

建築・土木・
環境工学

応用科学

機械工学

それぞれの分野を組み合わせて
ものづくりを行う

数学① 数学の概要

STEMのMにあたる数学について、どのような学問であるかを解説します。

1 数学ってどんな学問？

数学とは、数量を論理的に表したり、使いこなしたりする分野です。数、量、図形などの性質について研究します。数学を学ぶことで、「なぜそうなるのか」ということを数字や記号を用いて論理的に説明できるようになります。

小学校までは「算数」といわれていたものが、中学校では「数学」といわれるようになって戸惑った人もいるかもしれません。だんだんと難しくなっていく内容に、「こんなことを学んでも将来役立たない」などと内心思っていた人もいるのではないでしょうか。

しかし、この世界は数にあふれています。生活するために必要な時計の読み方やお金の計算の仕方なども、数を数えられないと理解できません。

2 先人たちの知恵で技術が発展

「そんなものは数学ではなく、自然と理解していくものだから、学ぶ必要はないのではないか」と思われた人もいるでしょう。とはいえ、わたしたちが当たり前にその技術を使えているのは、先人たちが数学を学び、発展させてきたからに他なりません。

　いまは技術の発展により、どんな人でも様々な技術を利用できるように工夫されています。コンピュータの仕組みがわからなくとも文字を打ちこめたり、インターネット検索をしたりできるのは数学をはじめとする STEM 分野を学んだ人がいたおかげです。

　数学は、「こんな物があったらいいのにな」と思うものを作るときに必要となってくる学問です。日常生活では必要ないからと早々と切り捨てずに、理解することの楽しさを積み重ねていくことが大切です。

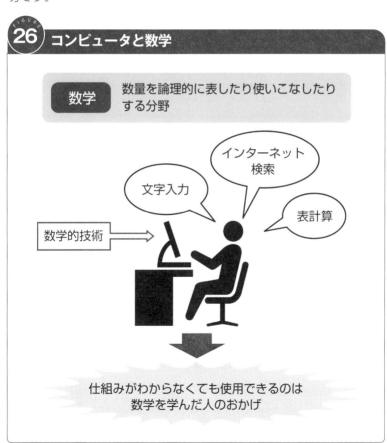

FIGURE
26　コンピュータと数学

| 数学 | 数量を論理的に表したり使いこなしたりする分野 |

インターネット検索

文字入力

表計算

数学的技術

仕組みがわからなくても使用できるのは
数学を学んだ人のおかげ

数学② 数学は何に役立つか

数学で学べることや、数学が社会においてどんなことに役立つかについて解説します。

1 数学ってどんなことを学ぶの？

数学で学べることは、ただ四則演算的な計算方法だけではありません。**数的処理能力**（**計算力**）、**数量感覚**、**図形処理能力**の他に**論理的思考力**や**表現力**も身につけることができます。

数的処理能力はドリルなどを解くこと以外にゲームなどで計算をすることでも身につけることができます。例えば、すごろくをアレンジした**ウミガメの島**というゲームがあります。普通のすごろくとは違い、最大3個のさいころを振ることができ、3個の出目合計の3倍進むことができるというルールがあります。ですが、出目の合計が8を超えてしまうとスタートに戻ってしまうというルールもあり、常に計算しながらゲームを進めていくことになります。ゲームをしながら素早く計算する能力が身につきそうです。その他にも数字を使ったゲームはたくさんありますので、熱中できるゲームを探してみると、日常的に計算し、頭を使う機会が増えると思います。

数量感覚とは、数の大きさ、桁の大きさなどの感覚をいいます。100円あったら11円のお菓子は9個しか買えないといったことが感覚的にわかれば数量感覚が身についているといえるでしょう。100円に収まるように好きな駄菓子を買うといった経験をすることで、数量感覚と共に数的処理能力も身につきます。

27 ウミガメの島のルール

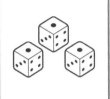

最大3個のさいころを振れる。
1個振ったあとに次を振るか決められる

出目の合計の何倍か進める。
振ったさいころの数が
1個ならそのまま、2個なら×2、
3個なら×3になる

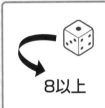

出目の合計が8以上だと
スタートに戻る

ゲームをしながら素早く計算する能力が身につく

図形処理能力は図形パズルを使ったり、ブロックを組み立てたりすることで身につきます。論理的思考力や表現力は問題文を読んでそれを図に表し、式にする作業で身につくでしょう。順序立てて考えることで論理的に考える力、それをわかりやすく表現する表現力も身につきます。

2　数学ってどんなことに役立つの？

　身の回りのことではお金の計算や暦の計算から、人工衛星の軌道の計算にまで用いられています。高校で習う微分や積分は物理の分野で必要不可欠ですし、身の回りのことから他の分野にまで、幅広く役立っていることがわかります。

　数学を学ぶ過程で身につけることのできる論理的思考力や表現力は数学の範疇を超え、日常生活での良好な人間関係を築くことにも役立つでしょう。数学は机に向かってただ勉強することが求められているのではなく、楽しんで学ぶことが重要です。

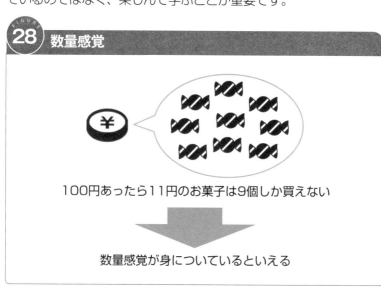

28　数量感覚

100円あったら11円のお菓子は9個しか買えない

数量感覚が身についているといえる

それぞれの分野を学ぶと将来どんな役に立つのか

STEMの4分野を学ぶことが、将来どのようなことに役立つかについて解説します。

1 研究職以外にも選択肢はある

STEM 分野を学ぶことは、様々な理系の研究職に就く足掛かりになります。しかし、この分野を学んだからこの研究職！　といったようなものはありません。もちろん、化粧品の研究をしたいなら化学系の分野を学んだり、薬の開発をしたいなら薬学系の知識を得たりする必要はあります。だからといって、化学系を学んだら化粧品の研究以外ができないわけではありません。選択肢の1つとして化粧品の研究職があるだけです。

また、研究職以外にも様々な選択肢があります。例えば研究に必要なものを売る営業職があります。何も知識がない状態で、研究に必要な試薬や機械を売りに行ったとしたらどうでしょう。研究者からの質問に答えられなかったり、必要ないものを売り込んで煙たがられたりしてしまうかもしれません。しかし、専門の知識を持った人が営業に行くことで、研究者のニーズに合わせた物を的確に売りに行くことができます。

2 論理的思考力やプレゼン力を活かせる

他にも STEM 分野を学ぶことで身につけた論理的思考やプレゼン力などはどんな分野の職業でも重宝されるはずです。将来就きたい仕事を考えて、専門の知識を学ぶことはもちろん必要ですが、仕

事に直接関係がない知識を学ぶことも重要です。

　子どものときなぜ勉強をしなければいけないのかとに思っていた、子どもに聞かれた経験は誰しもあるかと思います。なぜ勉強をしなければいけないのか、それは人生を豊かにするために他なりません。高校で学んだ数学をいまも使っているという人は一握りかもしれません。しかし、問題を解けるまで試行錯誤を繰り返したり、より良い解法を考えたり、学ぶ過程で得た経験は無駄にはなっていないはずです。

　そうした意味でも、STEM分野について学ぶことは広く将来の仕事にも活かせる可能性があるといえるでしょう。

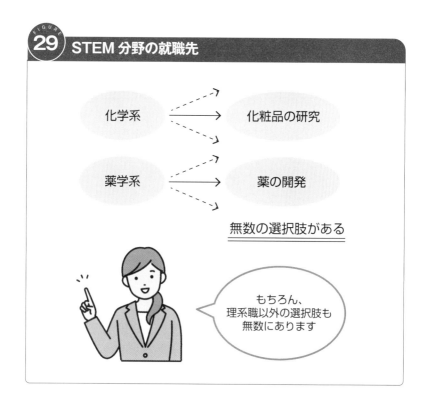

FIGURE
29 **STEM分野の就職先**

化学系　　　⟶　　化粧品の研究

薬学系　　　⟶　　薬の開発

無数の選択肢がある

もちろん、
理系職以外の選択肢も
無数にあります

Column
科学と化学の違いとは

　科学と化学はScienceとChemistryや、"かがく"と"ばけがく"と呼び方を変えて区別されますが、科学と化学の違いは何かと聞かれてすぐに答えられますか？　明確に答えられるかはともかく、なんとなくのイメージは皆さんもあるのではないでしょうか。

　科学は理科的な学問全般の総称のことで、化学はその一分野のことです。中学校までは理科と呼ばれていたものが、高校に入ると物理、生物、化学と分かれたことを思い出していただければわかりやすいかと思います。いろんな理科的な展示物がある科学館は"科学"、炎色反応や酸化還元反応などをみる化学実験は"化学"です。

　私が通っていた大学の学部の名称には科学、学科には化学が入っていたので、願書を書くときに間違えそうで、いつもどきどきしていました（笑）。ただ、学部が理科の一部である化学で、学科が総称の科学なのはなんとなく変だなぁと思っていたので、少し考えれば間違えずに済んだのですが。

　それよりも何より、私立の大学にありがちな、いろいろな言葉をつなげて結局何を専攻してるのかがわかりづらい長い学部学科名に苦労していました。大学院に進むとまた違う専攻の名前になったりして、もう何が何だかわからなくなってしまいました。履歴書に書くときは長くてはみ出しそうだし、合っているか不安だし、面接のときなど咄嗟に思い出せないしで、とにかく長かった！　余談ですが、修士論文のタイトルも長くしてしまったため、もう正確には思い出せません。

MEMO

CHAPTER

3

世界各国での
STEM教育の現状

　世界各国ではSTEM教育はどのように行われているので
しょうか。本章では統計データなどを参考にしつつ、全世界
のSTEM人口の現状や各国の取り組みについて見ていきま
す。

STEM 人材の多い国は

世界にはSTEM人材がどのくらいいるのか、各国の現状について解説します。

1 最も多い国は中国

世界的に STEM 人材の多い国はどこなのでしょうか。STEM 分野の学士号を取得した学生の人数と順位を紹介します。世界経済フォーラムの2016年の調査によると、次のとおりです。

1位	中国	470万人
2位	インド	260万人
3位	アメリカ	56.8万人
4位	ロシア	56.1万人
5位	イラン	33.5万人
6位	インドネシア	20.6万人
7位	日本	19.5万人

中国は人口が多いため、おのずと学生の人数も多くなります。その上、全学生の40%以上が STEM 分野の学士号を取得しており、割合もとても高くなっています。STEM の発祥国であるアメリカは3位という結果になりました。

グラフを見ると、比較的少数の国で STEM 分野の卒業生を輩出していることもわかります。ランクインしている国々ではどのような STEM 教育が行われているのでしょうか。また、ランクインし

ていない国でもSTEM教育に取り組んでいる国はたくさんありますので、様々な事例を紹介していきます。

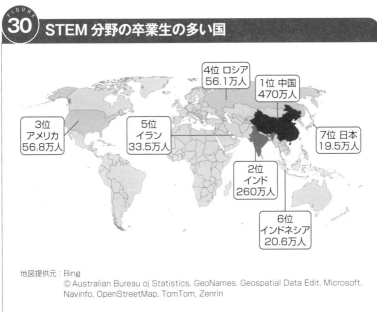

FIGURE
30
STEM分野の卒業生の多い国

4位 ロシア
56.1万人

1位 中国
470万人

3位
アメリカ
56.8万人

5位
イラン
33.5万人

7位 日本
19.5万人

2位
インド
260万人

6位
インドネシア
20.6万人

地図提供元：Bing
© Australian Bureau oj Statistics, GeoNames, Geospatial Data Edit, Microsoft, Navinfo, OpenStreetMap, TomTom, Zenrin

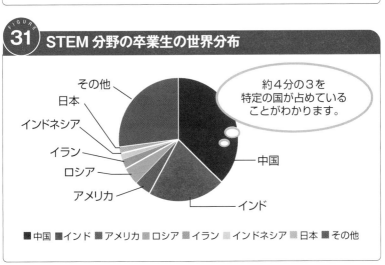

FIGURE
31
STEM分野の卒業生の世界分布

その他

日本

インドネシア

イラン

ロシア

アメリカ

約4分の3を
特定の国が占めている
ことがわかります。

中国

インド

■中国 ■インド ▨アメリカ □ロシア ▨イラン ▨インドネシア ▨日本 ■その他

中国での取り組み

中国が発表した、STEM教育に関する2029年までの具体的な
方針・計画と、実際に行われている取り組みについて解説します。

1 中国 STEM 教育2029革新行動計画

　中国は2017年に**中国 STEM 教育2029革新行動計画**を発表し
ました。内容はSTEM教育に取り組む意味とSTEM教育をどのよ
うに推進するかについてです。なぜ2029年なのかというと、
2029年は中国建国100年であり、建国100年時に世界革新型国
家を建設するためとしています。この目標を実現するために、人材
の育成を始めなければならないということです。

　方針は次の6つの項目でまとめられています。

❶国家戦略レベルでのSTEM教育の推進

　STEMを教育理念としてだけではなく、国家設計のための人材育
成として考慮する。

❷各教育段階のSTEM人材育成計画の改善

　小中学校では、STEM分野への興味を持たせること、高等教育で
はSTEM分野に進むことを奨励するといった各教育段階で一貫し
た教育方針を設計する。

❸教師の人材育成

　STEM教育をすることのできる専門性の高い教員を育成するプロ
グラムを実践する。

❹ STEM教育の課程基準、カリキュラム、評価体系の設計

STEM教育を通じて達成すべき効果・目標を設定し、効率的な発展を目指す。

❺社会一体化としたSTEMイノベーションメカニズムの構築

教育部門だけでなく、社会全体でSTEM教育を推進していくことで、改革のペースを加速させる。

❻地域の状況に応じたSTEM教育実施

科学館、STEM教育機関、博物館などの地域主導でのSTEM教育の実施を行う。

以上6つの項目に従ってSTEM教育の拡大を進めています。

32 中国 STEM教育2029革新行動計画の6つの項目

❶国家戦略レベルでのSTEM教育の推進
❷各教育段階のSTEM人材育成計画の改善
❸教師の人材育成
❹ STEM教育の課程基準、カリキュラム、評価体系の設計
❺社会一体化としたSTEMイノベーションメカニズムの構築
❻地域の状況に応じたSTEM教育実施

人材育成は一朝一夕に
成し遂げられるものではありません。
教育システムの基礎を固め
広めていく必要があります。

2 深セン市の STEM 教育

　中国での具体的な取り組みとして深セン市の STEM 教育が挙げられます。深セン市では STEM 教育を**創客**(ものづくりのできる人)の育成と位置づけ、独自の取り組みを行っています。

　中国では創客をものを創る人、メイカーなどの意味で使っておりものづくり領域のベンチャー企業創業者等を指します。深セン市は「Maker's dream city (**創客の都**)」とも呼ばれ、Huawei やTencent、DJI 等中国を代表する創客企業が本社を置いています。深セン市にある深セン中学では、企業や大学を通じて最新のテクノロジーを学べる教育システムを構築しました。

　企業に科学技術関連の選択科目 (Huawei:スマートフォンの研究、Tencent:平面設計、DJI:ドローン映像撮影および編集等) を提供してもらったり、大学と実験室 (音声認識実験室、ロボット授業)を共同設立し、学びの場を充実させています。

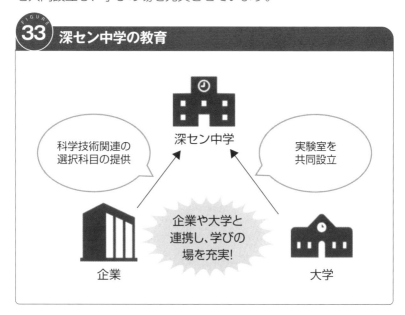

FIGURE 33 深セン中学の教育

深セン中学

科学技術関連の選択科目の提供

実験室を共同設立

企業や大学と連携し、学びの場を充実!

企業

大学

インドでの取り組み

インドが掲げている教育政策や教育制度、教育に関する課題、実際に行っている取り組みなどについて解説します。

1 インドの教育政策

インドでは2020年に新たな教育政策「National Education Policy 2020」が承認されました。1986年に大幅な改正が行われてからほぼ30年ぶりの見直しとなりました。

この教育政策では3つの重要なテーマを掲げています。

---

①いままでの暗記学習から、応用学習への移行

②生徒の教育的、身体的、精神的幸福を目指す評価モデルの構築

③職業スキル、数学的思考、データサイエンスなどの現代社会に即した体験学習

より大きな目標として、個人の力を伸ばし、インドの学生をグローバル市民にすることを掲げています。

2 教育制度の変更点

変更点の1つは、3歳からの早期教育が取り入れられたことです。従来は6歳から始めていた学校教育を3歳からにしたのです。その理由として、脳の発達の大部分が6歳以前に起こること、経済的に弱い立場にいる子どもを中心に多くの子どもが早期教育を受けられ

ていないことが挙げられています。2030年までに、すべての子ども
もが早期教育を受けられるようにすることを目標としています。

　また、カリキュラムは、知識重視のカリキュラムから応用学習へ
と変更されました。カリキュラムは重要な部分にのみ絞られ、批判
的思考を用いて探求やディスカッション、分析などを行うことが組
み込まれました。

　さらに、体験的な学習が導入されました。アートやスポーツ、ス
トーリーテリングを融合し、教科の枠を固定しない分野横断的な学
びを実現することを目指しています。

FIGURE 34　インドの教育制度の変更点

❶3歳からの早期教育の実施

　従来は6歳から始めていた学校教育を3歳から実施。
2030年までにすべての子どもたちが受けられるように
することを目標とする。

❷応用学習重視のカリキュラムへの転換

　従来は知識重視だったカリキュラムを応用学習を重視
したものに転換。批判的思考を用いて探求やディスカッ
ション、分析などを行う学習が組み込まれた。

❸体験的な学習の導入

　従来の教育とアートやスポーツ、ストーリーテリング
などを融合し、教育の枠を固定しない分野横断的な学び
を実現することを目標とする。

3 実現への課題

実現への大きな課題となるのは、優秀な教員の確保と育成です。2030年までに2億5000万人以上の学生がインドの学校に入学することが予想されています。教員と生徒の比率は1：35とされ、推定700万人以上の教員が必要になってきます。

従来の知識重視の教育に比べると、体験を重視する教育手法は教員への負担も大きくなります。地域によらず優秀な人材を確保するための対策として、地方の学生のための奨学金や地方の学校で働く教員のための住居の確保、異動の廃止を行っています。

高度なスキルが求められているにもかかわらず、教員の給与はインドの中でも低賃金です。政府がより多くの資金を教育に配分することが、この新しい教育制度を実現させることの鍵となることが予想されます。

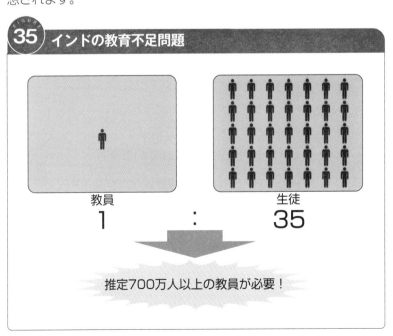

FIGURE 35 インドの教育不足問題

教員　1　：　生徒　35

推定700万人以上の教員が必要！

アメリカでの取り組み

アメリカのSTEM教育の現状や、従来の教育方法からの脱却を目指したチャータースクール "High Tech High" について解説します。

1 High Tech High とは？

STEM の始まりであるアメリカの取り組みとして、**High Tech High** が注目されています。これは、カリフォルニア州サンディエゴに設立された**チャータースクール**と呼ばれる公立高校です。チャータースクールとは教員や親、地域団体などが設置し、公費によって運営される学校のことをいいます。2000年の開校以来、系列の小中学校に加え、大学院が設立されています。

入学時に試験ではなく公平さを重視した抽選で入学者を選ぶため、生徒の人種やバックグラウンドは多様性に富んでいます。経済的な理由で学習に前向きになれない生徒にも平等に教育の機会が与えられています。

2 High Tech High が注目されている理由

HighTech High の大きな特徴は**課題解決型学習**（PBL＊）を取り入れていることです。時間割は1日2、3コマで、どのような授業をするかはそれぞれの教師に任されています。また、定期的な試験を行わず、生徒たち自身で考えたテーマでプロジェクトを進めていき、テスト代わりの展示会をします。生徒たちは、テストのための勉強をしていないにもかかわらず、州の標準テストの成績は平均を

＊ PBL　Project Based Learning の略。

上回っており、大学進学率も98%と高い水準を誇っています。

　授業内容の例として、地学調査に参加しフィールドワークを通じて学ぶこと、観賞魚飼育を通じてサンゴ礁の生態系破壊の課題解決策を探求すること、地域社会の課題をテーマにした演劇を企画・実践することが挙げられます。社会との結びつきが強いプロジェクトや自分たちが見つけた課題に対してアクションを起こすプロジェクトが増えてきています。

　2015年にはHigh Tech Highを舞台にしたドキュメンタリー映画、『Most Likely to Succeed』が公開されました。映画では、生徒や保護者が従来とは異なる教育方法に戸惑いながらも成長する姿が描かれています。

　現代はテクノロジーが発展し、大抵の知識は検索すれば出てくる時代になりました。いままでの机に向かって知識を詰め込む教育方法ではなく、一人ひとりの個性に合った教育法、アウトプットが中心の学校が必要となってきているのかもしれません。

36 High Tech High のウェブサイト

アウトプット中心の
学習ができる

出所：https://www.hightechhigh.org/

FIGURE

37 High Tech High の特徴

教員や親、地域団体などが設置し、公費によって運営

課題解決型学習を取り入れている

試験は行わず、抽選によって入学者を選ぶ

系列の小中学校に加えて、大学院も設立されている

定期的な試験を行わず、生徒たち自身で考えたテーマでテスト代わりの展示会をする

社会との結びつきが強いプロジェクトや子どもたちが自主的に課題を見つける授業が多い

CHAPTER 3-5 ロシアでの取り組み

キャッシュレスが浸透しており、エネルギー資源の依存から「デジタル経済への移行」を掲げているロシアでは、どのようなSTEM教育が行われているのでしょうか。

1 IT教育エコシステム

ロシアは**国際大学対抗プログラミングコンテスト**（ICPC＊）では、2012年から2021年まで9回連続で世界1位を達成するほど高度なIT教育を行っています。

ロシアには、IT産業を支える人材を育てるため、**IT教育エコシステム**（**情報教育エコシステム**）という仕組みが存在します。これは、企業・ロシア連邦政府・学校が連携した教育支援の仕組みです。

2 義務教育での情報科学

ロシアでは小学校が4年間、中学校が5年間、高校が2年間の計11年間が義務教育期間です。そして、そのすべての学年において情報科学が必修科目となっています。小学1〜4年生ではパソコン以外にもパズルや図形等を用いた教育を活用して論理的思考を学んでいきます。

3 ロシアでのSTREAM教育

ロシアのサンクト・ペテルブルグに本社を構える**ROBBO社**は誰もが自由にアクセスできるオープンソースを活用したロボット教育プログラムによるSTREAM教育を行っています。小中学校などの

＊ ICPC International Collegiate Programming Contest の略。

教育機関にロボット教育プログラムを提供する「ロボクラス」と塾のように学外でロボット工学やプログラミングを学べる「ロボクラブ」の2つの事業があります。

ROBBOが開発したロボット制作キットは、5〜7歳、8〜10歳、11〜15歳以上向けの3つの対象年齢に分かれています。ロボット機能が複雑で、段階的に応用することができるため、工夫を重ねて飽きずに楽しむことができます。

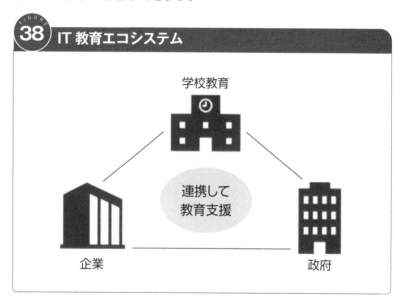

38 IT 教育エコシステム

学校教育

連携して
教育支援

企業　　　　　　　　　　　　政府

学校と企業、政府が
提携したシステムにより
高度なIT教育を実現しています。

CHAPTER 3 6
ランキング圏外の注目国①
シンガポール

本節からはSTEM人材のランキング上位国以外で独自の取り組みを行っている国を紹介します。まずは、世界的にも高い学力を誇っているシンガポールの事例を見ていきます。

1 シンガポールの教育制度

シンガポールの教育制度は「Primary・Secondary・Post Secondary」の3つに分かれています。「小学校・中学校・高等学校」という分け方をしている日本と制度は似ています。しかし、シンガポールの義務教育の期間は Primary の6年間のみとなっています。シンガポールでは Primary を卒業するときに、PSLE*という共通学力テストによって自分が進学する中学校が決まります。成績の良い生徒はより勉強に特化したコースに進み、そうでない生徒は技術を身につける道に進むことになります。

2 サイエンスセンターによる推進

シンガポールでは推論する力や探求スキルなど「知識を得ること」だけではなく、「知識を活用すること」を身につけさせることに重点を置いた教育をしています。国内最大の科学館である**サイエンスセンター**が中心となって STEM 教育を推進しています。

---

* **PSLE** Pimary School Leaving Examination の略。

サイエンスセンターでは1000を超えるSTEMを体験できるアクティビティがあるのが特徴です。ただ展示物を見るだけでなく、五感を刺激しながら科学を学べるため、大人も子どもも楽しめる場となっています。STEM教育に欠かせない主体的に学ぶということができる場です。「学びに終わりはない」というコンセプトのもと、対象年齢はありません。

39 サイエンスセンターのアクティビティ

- 多種多様な植物を栽培・展示しているエコガーデン
- 科学に関する様々な映像を見られるオムニ・シアター
- 絶滅した動物の氷像が展示されているスノー・シティ
- 目の錯覚を体験できる鏡の迷路
- 地震や火災など自然災害を体験できる装置　　　　　　　　など

▼シンガポールサイエンスセンターのホームページ

live the science!

出所：https://www.science.edu.sg/

大人も子どもも
楽しく科学を学べる！

CHAPTER 3 7 ランキング圏外の注目国② フィンランド

世界幸福度調査で2018年から6年連続1位となったフィンランドでは、どのような教育が行われているのでしょうか。

1 フィンランドの教育

　フィンランドでは、プレスクール（小学校入学前の1年間）から大学院までの教育費は国がまかなっています。学費だけでなく、教科書代や文房具代なども支給されます。平等な教育を目指しているため、より良い教育を受けるための私立学校もなく、家庭環境や親の収入に関係なく教育が受けられるように制度が整っています。

　小学校から高校までの12年間が義務教育期間で、その間とプレスクール期間も給食費が無料になるなど、平等に学校に通えるようになっています。

2 教育都市オウルでの取り組み

　フィンランド北部に位置する人口およそ20万人ほどの都市**オウル**は、最先端の教育都市として知られています。オウルには**STEAM in Oulu**と呼ばれるネットワークがあります。STEAM教育を展開する学校と団体で構成されており、2018年に始まりました。30以上の幼児教育から高等教育までの学校と団体がネットワークに関わっています。

　STEAM in Ouluは、アート、メディア、サイエンス、テクノロジーの交差点で、未来の課題の解決策を模索する創造性と好奇心を育むコミュニティです。例えば、次のような団体が関わっています。

・メーカースペース

　メーカースペースとは STEAM 教育のための多目的スペースのことです。ファブラボとも呼ばれています。3D プリンターやビニールカッター、レーザーカッター、電子ツールなどが用意されています。オウル大学に設置されているファブラボは誰でも利用することができるため、気軽に最新のテクノロジーに触れ、ものづくりを体験することができます。

・オウル市立図書館

　オウル市立図書館は、オウル STEAM ネットワークの一部として、図書館利用のスキル、情報検索・情報の信頼性を評価するスキルを身につけるためのオンライン学習パッケージを提供しています。様々なデジタル環境に適応するスキルは市民スキルであると考え、図書館のスタッフが利用者に案内を行っています。また、新しいテクノロジーを体験できるデジタルショップも併設され、体験を通して学べる環境が整っています。

FIGURE 40 STEAM in Oulu のウェブサイト

都市コミュニティで
STEM教育を推進！

出所：https://www.steaminoulu.fi

ランキング圏外の注目国③ オランダ

　義務教育期間は公立・私立に関わらず授業料が無償になるオランダ。1校に1校の教育理念を持ち、独自の教育をしているオランダの取り組みについて解説します。

1 オランダの教育方針

　オランダでは、「個別教育」を大事にした学びを行っています。各学校の裁量が大きく、独自に特色ある教育を実施しやすいようになっています。必修科目、最終学年終了時の達成目標、総授業時間数だけが定められていて、細かい指導方法の基準はありません。

　教科の比率も各校で決めることができるので、生徒のニーズに合わせた授業を実現しやすいといえるでしょう。具体的な取り組みとしては、**イエナプラン教育**が挙げられます。

2 イエナプランスクールによる教育

　イエナプラン教育に則り、運営されている小学校を**イエナプランスクール**といいます。ドイツ発祥の自発的な学び、関心や共同性を重視する教育が行われています。他者の良さを認め、社会で協同して積極的に活動できる人材を育てることを目的としています。

　オランダでは1962年に1校目が開校して以来、220校ほど（全小学校の約3%）が開設されました。**異年齢混合学級**を取り入れており、生徒同士で教え合うことができる環境となっています。

　異年齢混合学級は3つの年齢（年少・年中・年長）の子どもたちで構成されています。年少の子どもたちは、次の年には年中になり、次は年長、さらにその次は年少、となるように毎年役割を交代して

いきます。

　イエナプランスクールの教育は、対話・仕事（学習）・遊び・催しという4つの活動に分かれており、この4つが循環的に行われていきます。学習は4つの活動のうちの1つという位置づけになっています。対話は、生徒が円形に座り、様々なテーマについて話し合うことを指します。授業中に手を挙げたり、前に出て発表したりといったスタイルとは異なり、引っ込み思案な子でも発言しやすいというメリットがあります。

　仕事（学習）は、子どもたち自身が興味や関心、得意・不得意を考慮しながら自分で時間割を創る自立学習と、子ども同士でわからないところを教え合う共同学習があります。遊びは、音楽に合わせて体を動かして感情を表現したり、演劇づくりをしたりすることです。

　催しは伝統行事への参加や誕生日のお祝いなどです。祝い事や楽しみの共有だけではなく、悲しみなどのマイナスな感情を共有する場としても捉えられています。

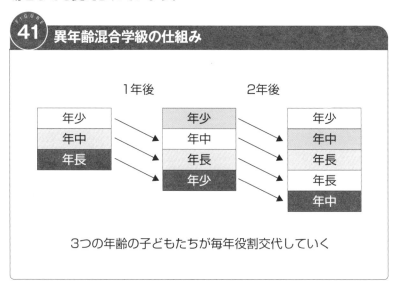

FIGURE
41　異年齢混合学級の仕組み

3つの年齢の子どもたちが毎年役割交代していく

3 ワールドオリエンテーションで総合学習

また、すべてに関わる重要な学習として、**ワールドオリエンテーション**という総合学習の場を設けています。ワールドオリエンテーションでは、実社会の出来事や課題をテーマに、学習で得た知識やスキルを応用しながらグループのメンバーと共に協力し、探求を行います。

4つの活動の1つである学習はワールドオリエンテーションにおける探求のために必要なものであり、ワールドオリエンテーションは学習をする意味を与えてくれるものになります。学習で得た知識によって、何かを発見することができたら、子どもたちは自然と「もっと学びたい」と思うのではないでしょうか。そういった子どもの好奇心や探求心に働きかけることのできる、素晴らしい教育方針だと思います。

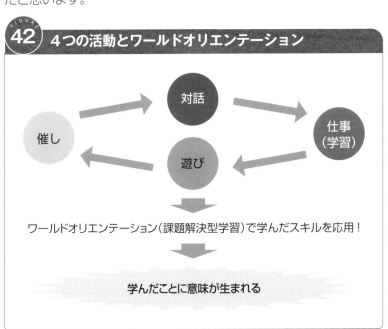

FIGURE 42 **4つの活動とワールドオリエンテーション**

対話

仕事
(学習)

催し

遊び

ワールドオリエンテーション(課題解決型学習)で学んだスキルを応用!

学んだことに意味が生まれる

ランキング圏外の注目国④ イスラエル

科学人材育成に力を入れ、スタートアップ大国といわれている
イスラエル。スタートアップ大国となった背景やそれを支える教
育について紹介します。

1 科学人材育成に力を入れている背景

　イスラエルは6000近いスタートアップ企業があるとされ、**ス
タートアップ大国**と呼ばれています。5〜18歳が義務教育の対象で
あり、カリキュラムは政府によって定められているものの、教材な
どの選択はある程度学校にも自由が与えられています。幼少期から
STEM教育を導入しており、特にプログラミングやサーバーセキュ
リティが重視されています。2000年には高校でのプログラミング
授業が必修化されました。現在は、先進的かつ実践的なIT教育を
幼少期から受けられるようになっています。

　イスラエルが国策として科学人材育成に力を入れている背景に
は、軍事面で必要性に駆られているという実情があります。

　イスラエルはユダヤ人が建国した国ですが、建国にあたってはイ
スラム教徒であるアラブ人との間で軋轢があり、4度の中東戦争が
起きています。戦争が起こった場合は、同盟国であるアメリカの介
入があるまでは自国だけで戦わなければなりません。

　現在も義務教育を修了した高校卒業後にはイスラエル国防軍での
兵役（女性2年、男性3年）が義務付けられています。多くの人は高
校卒業と大学入学の間に兵役を課されるということになり、高等教
育を受ける時期が遅くなりますが、この兵役の期間こそが技術的な
知識を得て、STEM分野のプロになる機会を得る場となっています。

2 スタートアップ大国となった理由

　イスラエル国防軍は、STEM分野の教育プログラムや設備を保有しており、IT教育の成績により選別されたメンバーはそこで最新の技術に触れ、トレーニングを受けます。この兵役で得た人脈は、起業の際に役立つことになります。

　また、政府により **Technological Incubators** という助成金プログラムがあること、起業意識が高い国民性などがスタートアップ大国を作り上げた理由となっています。

43 Technological Incubators の内容

アーリーステージのハイリスク・ハイリターンのスタートアップ企業の育成・投資が目的

要件を満たすインキュベーター(支援企業)によるスタートアップ企業への投資に、プロジェクト予算の最大85%、最長2年間の助成金を支給

対象となるスタートアップ企業に、ビジネスや技術、法律に関する専門家からアドバイスを受けられるサービスを提供

対象となるスタートアップ企業に、ビジネスや技術、法律に関する専門家からアドバイスを受けられるサービスを提供

Column

小さい頃の体験の大切さ

　本章では、世界各国のSTEM教育の取り組みについて紹介しました。「シンガポールのサイエンスセンターに行ってみたいなぁ」と思った方はいませんか？　私もそのうちの一人なのですが、そこで小さい頃に科学館に行ったことを思い出しました。

　私の家から近いとはいえないけれど、自転車でがんばれば行けるくらいの距離の場所にこじんまりとした科学館があります。こじんまりしているとはいえ、結構設備は充実していて、プラネタリウムも本格的なものが併設されていました。小さい頃は母によく連れて行ってもらっていたわけですが、その経験が私が理系に進んだ理由の1つかもしれないと思ったのです。

　子どもの頃は科学の原理なんてわからなくとも、体や手を動かしたりするだけで、とても楽しかった思い出があります。その科学館はSTEM教育を意識していたわけではないかもしれませんが、ワークショップやサイエンスショーを行っており、それらに参加する中で自然とSTEM教育を受けてきたのかもしれません。そのおかげか、好奇心旺盛な子に育ちました。いまでも科学館は大好きです。プラネタリウムも好きです。

　小さい頃に科学館に行くことで、子どもの好奇心や創造性が育つというメリットはもちろんあるでしょう。さらに、我が子が夢中になっている姿を見ることで、親が「理系の分野に興味があるんだなぁ」という認識を持つメリットもあるのではないでしょうか。子どもの好きを伸ばしてあげられる大人になりたいものです。

日本での取り組み

　日本においてはどのようなSTEM教育が行われているのでしょうか。政府の教育方針や教育機関の取り組みについて紹介します。

GIGA スクール構想

文部科学省が提案している「GIGAスクール構想」について、概要や取り組み状況を解説します。

1 GIGA スクール構想の内容

GIGA *スクール構想とは、子どもたちに1人1台の端末を与え、高速大容量の通信ネットワークを整備する制度のことです。多様な資質や能力を育成する教育環境を実現することを目的とし、文部科学省が推進しています。

主な内容としては、次のようなものがあります。

・1人1台端末の早期実現

・障害のある児童生徒のための入出力支援装置整備

・学校や家庭の通信環境の整備

これらの実現により、ICT *の活用によってすべての子どもたちの学びを保障できる環境を作ることが求められています。

2 GIGA スクール構想が生まれた背景

GIGA スクール構想が生まれた背景には、次の4つの課題があったと考えられます。

---

* **GIGA** Global and Innovation Gateway for All の略。
* **ICT** Information and Communication Technology の略。情報通信技術。

① ICT環境の脆弱さ

ICT環境とは、コンピュータ関連の機器を教室や授業に取り入れ活用する環境のことです。「学校における教育の情報化の実態等に関する調査」によると、2019（平成31）年時点の国内の学校でのパソコンの設置状況は、教育用パソコン1台に対して児童生徒5.4人であり、まだとても ICT環境が整っているとはいえませんでした。

②地域間の格差

さらに、ICT環境の整備状況は地域によっても差がありました。同調査によると、平成31年時点で教育用コンピュータ1台あたりの児童生徒数は、47都道府県で7.5人の愛知県と1.9人の佐賀県で約4倍もの差があったとされています。

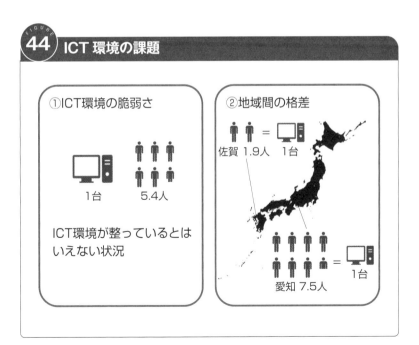

FIGURE 44 ICT環境の課題

①ICT環境の脆弱さ

1台　5.4人

ICT環境が整っているとはいえない状況

②地域間の格差

佐賀 1.9人　1台

愛知 7.5人　1台

③海外との格差

日本は、学校の授業におけるデジタル機器の使用時間が、OECD＊加盟国で最下位であることも問題視されていました。図は「OECD生徒の学習到達度調査」(PISA 2018) のうちの「ICT活用調査」の結果であり、こちらのデータからも明らかです。

④子どものデジタル機器の使用時間が学習外に割かれていること

同調査によると、子どものデジタル機器の使用状況は学習面ではOECDの平均以下である一方、学習外ではOECD平均以上であるという結果も出ています。子どもたちがデジタル機器に触れる機会は多いにもかかわらず、学習面では活かされていないことがわかります。

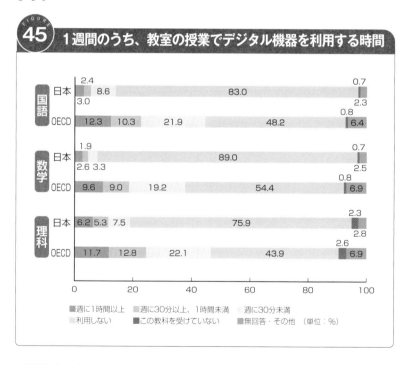

FIGURE **45** 1週間のうち、教室の授業でデジタル機器を利用する時間

国語
日本：2.4／8.6／83.0／0.7
OECD：3.0／12.3／10.3／21.9／48.2／0.8／6.4

数学
日本：1.9／89.0／0.7／2.6／3.3／2.5
OECD：9.6／9.0／19.2／54.4／0.8／6.9

理科
日本：6.2／5.3／7.5／75.9／2.3／2.8
OECD：11.7／12.8／22.1／43.9／2.6／6.9

0　20　40　60　80　100

■週に1時間以上　■週に30分以上、1時間未満　週に30分未満
利用しない　■この教科を受けていない　■無回答・その他　（単位：％）

＊ **OECD**　Organisation for Economic Co-operation and Development の略。経済協力開発機構。

3 GIGA スクール構想ができて変わったこと

GIGA スクール構想ができたことにより、どのように状況が変わったのでしょうか。

まず、ICT 環境については、前述のとおり学校でのパソコンの設置状況が2019（平成31）年に5.4人／台だったところ、2021（令和3）年には0.9人／台になりました。

2019年時点では教育用パソコンを5、6人で1台使っている状況でしたが、文部科学省の努力も相まって、2021年時点ではなんと児童生徒数0.9人に対して教育用パソコン1台となりました。構想の内容であった、1人1台端末の実現に成功しています。

さらに地域間の格差についても、改善されています。2021年のデータを見ると、最下位は滋賀県の1台あたり1.1人、1位は同率で

FIGURE 46 学校外での平日のデジタル機器の利用状況

項目	日本	OECD平均
コンピュータを使って宿題をする	3.0	22.2
学校の勉強のために、インターネット上のサイトを見る（例：作文や発表の準備）	6.0	23.0
関連資料を見つけるために、授業の後にインターネットを閲覧する	3.7	20.1
学校のウェブサイトから資料をダウンロードしたり、アップロードしたり、ブラウザを使ったりする（例：時間割や授業で使う教材）	3.0	17.7
校内のウェブサイトを見て、学校からのお知らせを確認する（例：先生の欠席）	3.4	21.3
ネット上でチャットをする	87.4	67.3
1人用ゲームで遊ぶ	47.7	26.7
多人数オンラインゲームで遊ぶ	29.6	28.9
E メールを使う	9.1	25.5
インターネットでニュースを読む（例：時事問題）	43.4	38.8

※「毎日」「ほぼ毎日」の合計値、色文字はOECD平均

89

秋田県、栃木県、群馬県、富山県、石川県、福井県、岐阜県、大阪府、和歌山県、山口県、徳島県、愛媛県、高知県、佐賀県、長崎県、熊本県、大分県の1台あたり0.8人となっています。

最下位の滋賀県でさえ1人1台端末をほぼ実現できており、地域間の格差はかなり狭まりました。

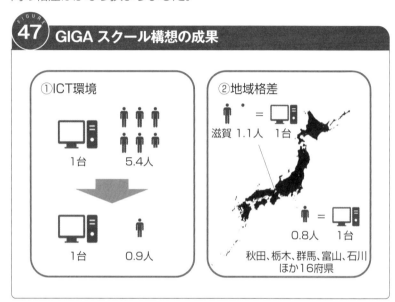

47 GIGA スクール構想の成果

①ICT環境

1台　5.4人

↓

1台　0.9人

②地域格差

滋賀 1.1人　1台

0.8人　1台

秋田、栃木、群馬、富山、石川
ほか16府県

GIGAスクール構想により
ICT環境の整備が進み、
地域格差も改善されました。

CHAPTER 4 2
プログラミング教育必修化①
必修化の目的

小学校でのプログラミング教育必修化の背景や現状について解説します。

1 プログラミング的思考を養う

小学校では2020年度、中学校では2021年度からプログラミング教育が必修化されました。文部科学省は、小学校でのプログラミング教育は**プログラミング的思考**を養うためのものであるという説明をしています。

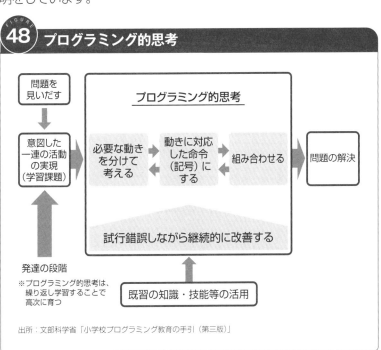

FIGURE 48 プログラミング的思考

出所：文部科学省「小学校プログラミング教育の手引（第三版）」

プログラミング的思考とは、「ゴールに到達するまでの動きを細かく分解し、効率的に動くルートを考え、試行錯誤しながら最適なルートを導き出す思考」のことです。より簡単な言い方をすると、「スタートからゴールまでの間で何をするのかを挙げていき、どうしたら効率よくゴールまで行けるか考えること」でしょうか。

　日常生活にはプログラミング的思考が必要な場面はたくさんあります。例えば買い物です。スーパーで買い物をするときに、何から買おうか順序を考えてから出かけませんか？　重いものや冷凍食品は最後の方にカゴに入れたいし、何度も行ったり来たりしないようにしたいですよね。そのために、あらかじめルートを考えると思います。このように自然とプログラミング的思考を日常的に行っています。

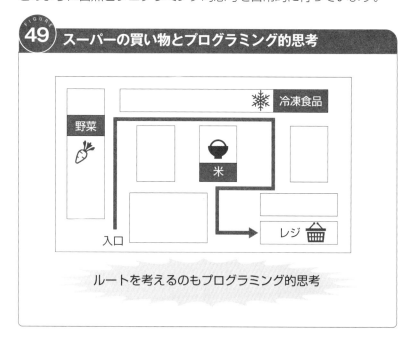

49 スーパーの買い物とプログラミング的思考

❄ 冷凍食品

野菜

米

入口

レジ

ルートを考えるのもプログラミング的思考

子どものプログラミング的思考を養うためには、日常的なお手伝いが有効です。ただし、指示を細かく出しすぎてはいけません。プログラミング的思考は考えることがスタートです。まず、何をしたらゴールまで行けるのかを一緒に考えてみるのはいかがでしょうか。

② 効率的に物事をこなせるようになる

　しかし、そんな自然にできるようなことをするだけでプログラミングができるようになるのかと疑問に思われるかもしれません。「プログラミングをしている人のイメージは？」と聞かれたら、ものすごい勢いでキーボードを打ち、パソコンにコードを打ち込む人を思い浮かべませんか？　プログラミングをしたことのない側からすれば、とても難しいことをしていると思うでしょう。

　もちろんプログラミングをするためにはコードを覚えなければなりませんが、それよりも大切なことは、プログラミング的思考が身についていることだといえます。プログラミングは、コンピュータへの命令を順番に書き込まなくてはいけません。プログラムを動かしたときに、一見同じ結果になっていたとしても、コードに無駄が多いということもあります。そんな状態でバグが起こったら、間違っているところを探すのが難しくなってしまいます。そうならないためにも、効率的に物事をこなしていく思考、プログラミング的思考を養うことが大切です。

プログラミング教育必修化②
実際の授業内容

プログラミング教育の充実に向けた政府の取り組み「みらプロ」
と、実際の授業の内容について紹介します。

1 みらプロ2020とは

　政府は全国の小学校でのプログラミング教育の充実を図るため
に、**みらプロ**というプロジェクトを実施しています。内容は、小学
校の「総合的な学習の時間（年間約70時間）」の授業の中で、文部
科学省、総務省、経済産業省が企業と連携し、企業の商品やサービ
スをもとにしたプログラミング体験や企業への児童の訪問学習、プ
ログラミング教材や講師の提供を行うというものです。

　2020年度のプログラミング必修化に向けて2019年9月を「未
来の学び　プログラミング教育推進月間」とし、実施期間をひと月
のみとした「みらプロ2019」が実施されました。さらに2020年
には、ひと月に限定せず、1年間を通して行われるプロジェクト「み
らプロ2020」が実施されました。

　「総合的な学習の時間」とは、教科を絞り込まず、子どもたちの
探究的な見方や考え方を養い、社会で活躍できるような教育、まさ
に STEM 教育のことです。小学校3年生から年間の授業時間が定め
られ、実施されています。

2 実際の授業内容

実際に学校でどのような授業が行われているのか、例を挙げて紹介します。

①町田市立町田第三小学校×グーグル合同会社

AIに画像認識させ、Scratch*のプログラミングを体験する授業が行われました。AIが実際に世の中で活用されている事例を見たり、簡単なAIの機能に触れてみたりすることで、どのようなことが可能になったのかを学習しました。また、学校や地域、自宅を対象としてAIで解決できそうな課題を見つけ、身の回りの課題をAIで解決する実践学習を行いました。

FIGURE 50 みらプロのウェブサイト

プログラミング教育の充実を目指す!

協力企業と連携した総合的な学習の時間
みらプロ

文部科学省、総務省及び経済産業省では、小学校プログラミング教育の実施に向けた準備を推進するため、2019年9月を「未来の学び プログラミング教育推進月間（通称：みらプロ）」と設定しました。令和2年度においては、新学習指導要領が全面実施されることに伴い、小学校プログラミング教育の充実を図るため、「みらプロ」として、実施月を特定せず通年で、「企業と連携し、「プログラミングが社会でどう活用されているか」に焦点を当てた総合的な学習の時間における指導案づくりを行う取組」を実施します。

みらプロの実践報告はこちら

2021年度以降のみらプロについて

出所：https://mirapro.mext.go.jp/

* Scratch 多くの小学校の授業で使われているプログラミング教材。

みらプロ2020における企業等の取組一覧

協力企業団体名	取組(指導案)のタイトル	実施形態	訪問場所/派遣先
Apple Japan, Inc.	プログラミングの基礎を学んで、地域の課題を解決するアプリケーションをデザインしよう	企業訪問	東京都、神奈川県、愛知県、京都府、大阪府、福岡県
株式会社NTTドコモ	プログラミングを生かしてよりよい生活に	教材提供	—
グーグル合同会社	AIとプログラミングで、身近な課題を解決しよう	教材提供	—
佐川急便株式会社	私たちの生活を豊かにする未来の宅配便	企業訪問	東京都
株式会社しくみデザイン	自分の住む街の魅力を発信する案内アプリを作ろう	講師派遣	全国
積水ハウス株式会社	みんなの家!未来の家!	企業訪問	宮城県、茨城県、静岡県、京都府、山口県
Twitter Japan株式会社	地域の魅力を伝えよう!私たちの街大好きプロジェクト!	教材提供	—
株式会社ディー・エヌ・エー	地域の魅力発信アプリを開発して、商店街を盛り上げよう!	講師派遣	関東圏内
日産自動車株式会社	私たちの生活と、自動車の未来を考えよう	企業訪問	神奈川県、栃木県
日本郵便株式会社	私たちの生活を支える郵便局の仕事	企業訪問	全国398箇所
ひろしま自動車産学官連携推進会議	私たちの生活と、自動車の未来を考えよう	教材提供	—
フューチャー株式会社/ライブリッツ株式会社	スポーツとデータ分析。地域スポーツチームを応援しよう	教材提供	—
株式会社Preferred Networks	自動化の進展とそれに伴う自分たちの生活の変化を考えよう	教材提供	—
株式会社ポケモン	身近な人の仕事やゲームを作る仕事を学んで、私たちの未来やキャリアを考えよう	教材提供	—
本田技研工業株式会社	私たちの生活と、自動車の未来を考えよう	企業訪問	栃木県、三重県、香川県
ヤマトホールディングス株式会社	私たちの生活を豊かにする未来の宅配便	講師派遣	関東圏内
LINE株式会社	見つけよう伝えようわたしたちのまちの魅力	講師派遣	全国

②足立市立大谷田小学校×佐川急便株式会社

　配送の仕組みや働く人々の工夫、努力を様々な視点から提示し、宅配便が消費者のニーズや願いにどのように応えているのかを学ぶ授業が行われました。子どもたちは佐川急便のハブセンターの見学を行い、実際に宅配便の仕分けの様子などを見ることで、急増している物流にどのように対応しているのかを学びました。荷物を出してから届くまでの流れを Scratch を使ってアニメーションで表現したり、宅配便のどこにプログラミングが使われているかを考えたりする授業が行われました。

③唐津市立高島小学校× Twitter Japan 株式会社

　高島を知らない人に情報提供することをテーマとして、地域について理解を深める授業が行われました。子どもたちは、高島を探検したり、地域の方へアンケートを行って島起こしの取り組みを聞いたり、漁業体験をするなどにより、地域について体験も交えて学んでいきました。Twitter Japan 株式会社は Twitter に関する資料を提供し、子どもたちはそれをもとに情報発信や情報モラルについて学び、プログラミング操作を通じて情報発信を行いました。子どもたちが Twitter を通して、島の活性化に貢献できたという実感を持てたことも、大きな成果となりました。

スーパーサイエンスハイスクール

2002年に開始したスーパーサイエンスハイスクールについて、概要や目的を紹介します。

1 スーパーサイエンスハイスクールとは

　スーパーサイエンスハイスクール（SSH）とは、文部科学省が先進的な科学技術や理科・数学教育を重点的に行う高校を支援する制度です。文部科学省が指定した高校は、**科学技術振興機構（JST）**から活動推進に必要な支援が受けられます。従来の予算とは別にJSTから予算が出るため、本来の理数系科目における学習指導要領の範囲にとどまらず、大学との共同研究や、より実践的な授業を展開することが可能になっています。

　具体的な活動としては、大学や研究機関等と連携した授業や、企業・実験施設などの見学、充実したクラブ活動、コンテスト・研究会への出場などが挙げられます。

2 実際の取り組みについて

　文部科学省ホームページ内のSSHについてのページには、SSH実践事例集が公開されています。各学校の特色を活かした実践内容を公開することで、お互いに参照し合い、SSH指定校の取り組みがより一層改善されるようにという目的があるようです。実践事例の一部を紹介します。

FIGURE
52 SSH 指定校の取り組み

学校名	事例の概略
北海道札幌啓成高等学校	探究活動の取組（連携を重視した理数科「KSI」、普通科「FV」を中心とする教育課程）、遠隔システムを活用した国際協働探究や発表会の推進
福島県立福島高等学校	課題研究（ベーシック探究）の取組、地域の産業界や小中高大との連携の取組
茗溪学園中学校高等学校	中高一貫した課題研究の取り組み（中高を通した探究スキルの育成カリキュラム、ミニ研究（高校1年）と個人課題研究（高校2年））
東京都立小石川中等教育学校	6年間を貫く課題研究の取組、課題研究の質を向上させるための取組、課題研究の評価と意識の変化
東京工業大学附属科学技術高等学校	学校設定科目と独自教材の作成・活用、東京工業大学や海外教育機関との連携
石川県立小松高等学校	課題研究の充実と指導体制（研究サポートプログラム）、課題研究を通じて育成する探究力とその評価、生徒の探究力の伸長のデータ・研究成果のデータ
福井県立若狭高等学校	地域資源活用型探究学習による地域と世界を結ぶ科学技術人材の育成、課題設定・解決能力の育成に向けたカリキュラム、「SSH・研究部」を中心とする全校体制の運営組織を指導力向上に向けて構築
山梨県立甲府南高等学校	SSH事業に係る全校体制組織、主体的・協働的な課題研究プログラム「フロンティア探究」を深化させる独自の取組（オリジナルポートフォリオの運用等）
愛知県立刈谷高等学校	科学する力をもった「みりょく」（実力・魅力）あふれるグローバルリーダー育成プログラムの確立、文系課題研究
名古屋大学教育学部附属中・高等学校	中高6年間一貫の課題研究を中心とした理数教育の教育課程、課題研究を支えるサイエンスクラスター群（宿泊型中津川プロジェクト等）、課題研究と各教科
名城大学附属高等学校	課題探究活動の展開と深化（評価と高大協創）、SSH東海フェス
滋賀県立膳所高等学校	全校体制を作るための方策や工夫例、標準ルーブリックを基にした指導の評価と工夫、普通科・理数科それぞれの探究活動の進め方

出所：文部科学省「スーパーサイエンスハイスクール実践事例集」
　　　令和2年12月28日（令和3年3月1日修正）

①愛媛県立松山南高校

2002年にSSHに指定されてから現在まで継続して指定校となっている愛媛県の公立高校です。具体的な取り組みは、大学や企業と連携した課題研究指導、国内および海外での研究発表、高大連携・高大接続などです。高校独自の学校指定科目である「データサイエンス」、「スーパーサイエンス」においては、愛媛大学と連携した講座や実習を受ける授業、企業所有のビッグデータを用いた顧客動向分析の授業などで大学・企業と連携した指導を行っています。

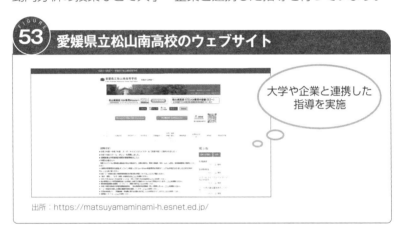

FIGURE 53 愛媛県立松山南高校のウェブサイト

大学や企業と連携した
指導を実施

出所：https://matsuyamaminami-h.esnet.ed.jp/

FIGURE 54 東京都立小石川中等教育学校のウェブサイト

学校一丸で
SSH事業に取り組む

出所：https://www.metro.ed.jp/koishikawa-s/

②東京都立小石川中等教育学校

東京都の中高一貫校で、6年間を通して文理選択を行わず、全校生徒がSSH事業に取り組んでいる学校です。6年間を通して、課題発見力・継続的実践力・創造的思考力の育成を目標としています。全教職員がSSH事業に関わっており、定期的に指導方法や評価方法についての会議を行っていること、卒業生を発表会や科学系の部活動での指導に活用していることなどから、学校が一丸となって、SSH事業を進めていることがわかります。理数系のコンテストに数多く参加しており、SSH全国生徒研究発表会では最高順位である文部科学大臣賞を受賞しています。

③京都府立桃山高等学校

2010年以降、SSHに指定されている京都府の公立高校です。**グローバルサイエンス**に関わる探求型融合科目が設定されています。次世代社会を創造し牽引するグローバルサイエンス人材の育成を研究開発課題として設定し、海外研修やスーパーサイエンスキャンプという研修旅行が行われます。

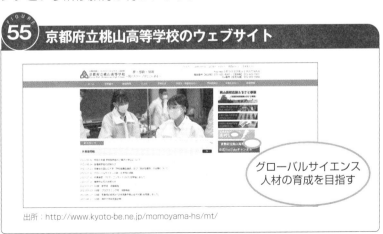

FIGURE 55 京都府立桃山高等学校のウェブサイト

グローバルサイエンス
人材の育成を目指す

出所：http://www.kyoto-be.ne.jp/momoyama-hs/mt/

CHAPTER
4
5

科学の甲子園

甲子園は野球だけではなく、理系の学生にもあります。科学の
甲子園の概要や出題問題などについて解説します。

1 科学の甲子園とは

　科学の甲子園とは、2011年に始まった科学技術振興機構（JST）
が主催している大会です。理科・数学・情報における複数分野の競
技が行われます。対象は高校1、2年生の生徒で、同じ学校内でチー
ムを作って参加します。全国の科学好きな高校生が集まり、競い合
い、活躍できる場となっています。

　競技は筆記競技と実技競技に分かれています。筆記競技では、理
科、数学、情報の中から習得した知識をもとにその活用について問
われます。教科・科目の枠を超えた融合的な問題が出題される可能
性もあります。

　実技競技では、ものづくりの能力、コミュニケーション能力など
を用いて課題解決能力を競います。筆記競技は6人1チーム、実技
競技は3〜4人1チームで課題を分担、相談するなど協力して、成果
を競い合います。

　これは、まさにSTEM教育の成果が見られる競技といえるので
はないでしょうか。教科横断的に学習し、物事を多方面から観察す
ることで問題解決につなげる力を小さい頃から養うことが、科学の
甲子園で勝ち抜くカギになるかもしれません。

ちなみに、**科学の甲子園ジュニア**という中学1、2年生が対象の大会もあります。こちらでは、「全国の中学生が科学の楽しさ、面白さを知り、科学と実生活・実社会との関連に気づき、科学を学ぶことの意義を実感できる場を提供しています」とされています。

2 実際に出題された問題

　2023年3月には、第12回科学の甲子園全国大会が茨城県つくば市で開催されました。各都道府県の予選大会を勝ち抜いた代表47校が全国大会に参加しました。

　実技競技では以下の3つの問題が出題されました。

---

①振り子を使って振動現象の奥深さに触れる課題
②自作した顕微鏡を使っていろいろな組織を観察する課題
③カート作製とプログラム開発で出されたミッションを達成していく課題

　それぞれの課題の中で問いがいくつかあり、それぞれの合計得点で順位が決まります。大会の過去問は、科学の甲子園ホームページに、実技競技の様子は YouTube にて公開されていますので、興味のある方はぜひのぞいてみてください。知識の豊富さ、思考の柔軟性はさることながら、チームワークの重要性も感じられると思います。

56 科学の甲子園の概要

参加対象	高等学校等（中等教育学校後期課程、高等専門学校を含む）の生徒チーム
チームの人数	1チーム6〜8人
競技の種類	筆記競技と実技協議
競技の形式	筆記競技は6人1チーム、実技競技は3〜4人1チームで、課題を分担、相談するなど協力して成果を競い合う
参加方法	①都道府県選考への申し込み ②選考通過後に出場チームとして登録 ③全国大会へ出場
表彰等	・各競技の成績点数の合計によって優勝チームを決定 ・優勝チームに文部科学大臣賞を授与するほか、成績上位チームについても表彰 ・主催者は協賛企業を募り、その他の表彰を授与。成績上位の出場チームについては、その成績を公表

出所：https://koushien.jst.go.jp/koushien/index.html#topFlow

STEM 教育機関の設立

STEM教育に取り組んでいる学校以外の教育機関を紹介します。

1 STEM 教育の関係機関

国内において STEM 教育に取り組んでいるのは学校だけではありません。下記に紹介する機関も STEM 教育を推進しています。

①日本 STEM 教育学会

STEM 教育について学術的な視点で調査研究を行い、より効果的な教育実践につなげていくための学会です。STEM 教育のあり方を考え、海外の学会などとも連携して活動し、21世紀社会に必要な資質・能力の育成に寄与することを目指しています。STEM 教育に関する情報の収集や研究を行い、シンポジウムやセミナーで発信しています。STEM 教育の現在を知るために役立つ特集やレポートがウェブサイトに掲載されています。

②一般社団法人 STEM 教育協会

様々な教育機関、教育事業者、出版社、教育サービスプロバイダー等と連携を図りながら、日本国内において STEM 教育、プログラミング教育の普及、推進を図って活動している団体です。主な取り組みとして、STEM 教育に関する認定資格制度の確立や STEM 教育に関わるセミナーやシンポジウム等の開催、STEM 教育に関わる人材育成や支援活動などを実施しています。

FIGURE 57 日本 STEM 教育協会のウェブサイト

STEM教育に関する情報収集や研究を行う

出所：https://www.j-stem.jp

FIGURE 58 一般社団法人 STEM 教育協会のウェブサイト

STEM教育に関する人材育成や支援活動を実施

出所：https://www.stem.or.jp

③埼玉大学 STEM 教育研究センター

　教育方法および指導者育成に関する研究の専門家を中心に、外部共同研究機関や大学周辺地域をはじめとする多くの教育現場と連携して活動している団体です。主な取り組みとしては、ものづくりの活動を通した教育方法に関する研究開発、STEM 教育の体系化を進める研究開発、指導者育成に関する研究開発などがあります。株式会社ココカラデザインと連携し、「ココカラ KIDS」という学童保育の監修も行っています。

FIGURE 59　埼玉大学 STEM 教育センターのウェブサイト

専門家と教育現場が連携して活動

出所：http://neo.stem-edulab.org

私が理系を選んだ理由

　ほとんどの方が、高校に入学してから文理選択をすると思いますが、私は、高校入試のときに理数科を選択して受験しました。小学生のときから理科が好きだったことや偏差値の面でも希望に合っていたことが理由でした。

　しかし、高校卒業後の進路については全然決まらなくて、理系以外に進むことも考えました。お菓子作りが好きだったので製菓の専門学校に行くか、読書が好きなので将来司書になるための学科に行くか、このまま理系の道に進むか——。迷った末、お菓子作りは家でもできるし、退職後に図書館で働くこともできそうだと考えて、理系の大学に進むことにしました。加えて、理系の職に就きたくなった場合、専門の大学に行かなければいけないと思ったことも大きな理由でした。このように、どちらかというと消去法のようなかたちで進路を決めました。

　何が言いたいかというと、私のように意外と軽い気持ちで理系に進む人もいるのだということを知ってもらえたらいいな、と思うのです。もちろん周囲のサポートがあってこそではありますが、自分は理系の職は難しいかも、向かないかもなどと思って選択肢から外してしまうことはもったいないと思います。自分の気持ち以外で理系への進学を諦める人がいなくなるように、制度が充実することを願っています。

　私は大学に入学してから、お菓子教室に通ったり、司書資格を取ったりすることもできました。なんだかんだ、残りの選択肢も選ぶことができたのかな、と思っています。

STEM教育の
これから

　ここまでSTEM教育の概要や国内外での取り組みの現状
について見てきましたが、今後STEM教育はどのように展開
していくのでしょうか。本章では、STEM教育のこれからの
展望や課題について解説します。

STEM 教育の課題

STEM教育にはどのような課題があるのでしょうか。3つの項目に分けて解説します。

1 認知度の低さ

STEM教育の課題として、まず挙げられるのが認知度の低さです。学研が2018年9月に調査した「保護者のSTEM（あるいはSTEAM）教育の認知度」は約20%でした。「知っている」（5.8%）、「言葉を聞いたことがある」（13.8%）、「知らない」と答えた保護者が8割という結果となりました。文部科学省が2018年6月に「Society5.0に向けた人材育成」を提言し、2020年の小学校プログラミング必修化が発表されていた時点ではこのような低い認知度でした。

その後、プログラミングが必修化されてからの2022年9月の調査においても22.8%と、やはり低い認知度でした。「知っている」（5.6%）、「言葉を聞いたことがある」（17.3%）と、2018年に比べたら言葉を聞いたことがある保護者は増えてはいますが、約8割の保護者にとっては馴染みのない言葉であるという結果となりました。

2018年にはすでに必要性について言及されていたSTEM（STEAM）教育ですが、4年が経過しても、ほとんど認知度に変化がなかったといえます。STEM教育がどのような教育モデルなのか、何を目的としているのかを説明することで、STEM教育について興味を抱く保護者は多いと思います。まずは、知らないことには始まりません。

保護者の STEM 教育の認知度

2018年9月（小学校でのプログラミング必修化が決まった頃）

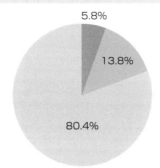

5.8%

13.8%

80.4%

2022年9月（4年後、必修化されてから）

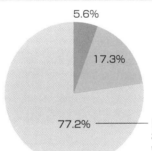

5.6%

17.3%

77.2% ——「知らない」保護者は
3.2% 減ったが
まだまだ認知度が低い

■どのようなものか知っている　■言葉を聞いたことはある　　知らない

出所：学研教育総合研究所「小学生白書 Web 版」

まずは "知る"
ことから
始めましょう

CHAPTER

5

STEM教育のこれから

FIGURE

2 教育格差

　地域や家庭による教育格差も課題として挙げられます。インターネット環境が整備されていないことや、必要なときに端末を購入することができないといった理由でSTEM教育を受けづらい子どもがいることが、問題視されています。適切な支援策が必要となるため、簡単に解決できる問題ではないでしょう。

　また、保護者のSTEM教育認知度の差によっても、家庭による格差が起きやすくなっています。プログラミングスクールに通ってプログラミングを学ばせたり教材を買って家で学んだりするためには、やはり資金が必要になります。とはいえ、保護者が積極的であれば家庭内でもお金をかけずに学ぶことはできます。保護者がSTEM教育に関心を持っており、教育方法に関する知識があるかどうかが大きな差となるでしょう。

3 教えることができる人材の少なさ

　これは、大きな課題かつ、解決に時間がかかる課題でしょう。教えることのできる人材が不足しているというのは当然のことです。なぜなら、いま不足している人材をSTEM教育によって育成しようとしているわけですから。

　そして、学校の先生は多忙です。OECDの調査によると日本の小中学校教員の一週間あたりの仕事量は加盟国中で最長の53.9時間でした(2018年)。そのように多忙な先生方に「理系の科目に力を入れることにしたので、専門的に教えてあげてほしい」「プログラミングの授業を必修化させるから、プログラミングも教えられるようにしてほしい」といっても対応が難しいでしょう。プログラミングをしたことがない先生はもちろん、プログラミングをしたことがある先生でさえ、小学生にどのように教えたら良いか試行錯誤する

ことになります。研修の場を設けたとしても、受ける時間が足りないなどの問題が出てきてしまいます。

そこでこうした問題への対応策の1つとして、2022年4月から小学校高学年は**教科担任制**が実施されるようになりました。いままでの**学級担任制**では、音楽や図工などの専門科目以外のすべての教科を担任の先生が指導していました。教科担任制に変わることで、中学校のように先生がそれぞれ担当教科を持ち、複数のクラスに対して指導する形式に変わりました。他にも、近隣の中学校の先生のサポートを受ける方法や、外部の専門の先生に教えに来てもらうなどの方法をとっている学校もあります。小学校での教育は教える側からも変わり始めています。

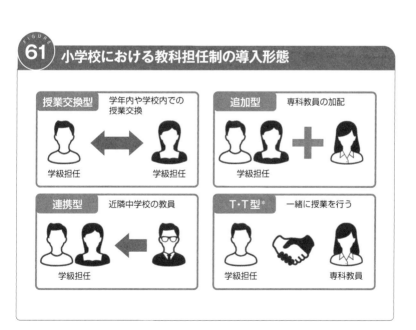

FIGURE 61　小学校における教科担任制の導入形態

| 授業交換型 | 学年内や学校内での授業交換 |
| 学級担任　⟷　学級担任 |

| 追加型 | 専科教員の加配 |
| 学級担任　＋ |

| 連携型 | 近隣中学校の教員 |
| 学級担任　⟵ |

| T・T型* | 一緒に授業を行う |
| 学級担任　　専科教員 |

＊T・T型　ティームティーチングのこと。複数の教師が協力して行う授業方式。

企業で求められる取り組み

あと10年もしたら、小学校からSTEM教育を受けてきた子どもたちが社会で活躍する日がやってくるでしょう。幼少期からの支援により国がSTEM人材を育成しようとしているのに対し、企業はいま何をすべきでしょうか。

1 企業はどのように STEM 教育に関わっているのか

学校教育の範囲でプログラミングなどの STEM 教育に力を入れたとしても、AI をはじめとする科学技術の進歩のスピードには到底追いつくことができません。

そこで、活躍するのが STEM 分野の企業の参入です。社会で実際に技術の進歩に一役買っている企業が子どもに向けて STEM 教育を実施することで、よりリアルな学習体験を与えることができます。企業にとっても次世代の人材創出につながる社会貢献となります。

2 企業の取り組み事例

実際に企業ではどのような取り組みが行われているのでしょうか。下記に紹介します。

①株式会社 LITALICO：LITALICO ワンダー

株式会社 LITALICO は、幼児から高校生を対象に、プログラミングやロボット、デジタルファブリケーションといったテクノロジーを活用したものづくりの機会を提供している **LITALICO ワンダー**という IT 教室を展開しています。企業や教育機関と共同でイ

ベントやワークショップを開催し、子どもたちが社会とつながる機会や、最新のテクノロジーを活用する機会も作っています。

②ヤマハ株式会社：ボーカロイド教育版ソフト

ヤマハ株式会社は、歌声合成ソフト「**VOCALOID™**」を学校教育用に最適化したソフトウェアを開発しています。楽譜が読めなく

62 LITALICO ワンダーのウェブサイト

テクノロジーを
活用したものづくりが
体験できる

出所：https://wonder.litalico.jp

63 Yamaha Smart Education System のウェブサイト

デジタルの
技術を活かした
教材を提供

出所：https://ses.yamaha.com/

ても、直観的に、試行錯誤しながら楽しく曲づくりをすることができます。プログラミングを学べば、たくさんのことができるようになるということを体験できるソフトとなっています。小学生・中学生それぞれに合った授業モデルを紹介しており、実際の学校教育に取り入れやすい教材となっています。

③公益財団法人 日立財団：日立みらいイノベータープログラム

　公益財団法人 日立財団は、小学5年生を対象に、問題発見・課題解決のプロジェクト型探求学習の場を日立グループ社員の出張授業を交えて提供する**日立みらいイノベータープログラム**を実施しています。「スキルトレーニング」と「探求型プロジェクト」の2段階で構成されており、児童自らが科学的思考力を発揮し、主体的に身のまわりの問題を解決するプロセスを支援しています。児童は「理想の学校づくり」をテーマに自分たちで設定した課題にグループで協力して取り組みながら繰り返しスキルトレーニングを行うことで未来をイノベートする力を身につけていきます。

FIGURE 64 日立みらいイノベータープログラムのウェブサイト

日立グループ社員が出張授業を実施

出所：https://www.hitachi-zaidan.org/activities/innovator/index.html#ss02

65 日立みらいイノベータープログラムの構成

フェーズ	授業回数	授業内容
❶スキルトレーニング	1	導入
	2	❶動機づけ（出張授業）
	3〜6	専用教材を使用したスキルトレーニング
❷探求学習「理想の学校づくり」に向けた企画を行う	7	❷課題設定（出張授業）
	8	情報収集
	9	整理・分析
	10	企画作成
	11	❸中間発表（出張授業）
	12	企画再考
	13	❹最終発表（出張授業）
	14	振り返り

2学期：❶〜❹（1カ月半／2カ月半）

3学期：実行

実施期間：4カ月間（2学期）　授業期間：約14時間（総合学習の時間など）

出所：https://www.hitachi-zaidan.org/activities/innovator/index.html

④公益財団法人 日立財団：理工系女子応援プロジェクト

　同じく公益財団法人 日立財団は、女子中高校生を対象に、理工系分野で活躍する女性への興味・関心を喚起するイベントの開催による、理工系進学へのモチベーション喚起を目的とした、**理工系女子応援プロジェクト**を実施しています。プロジェクトサイト「わたしのあした」では、理工系の最先端で活躍している女性技術者、研究者のインタビュー、ウェブと連動した体験型イベントの開催情報などを掲載しています。

FIGURE 66 　理工系女子応援プロジェクト わたしのあしたのウェブサイト

理工系の
女子学生向けの
イベントを実施

出所：https://www.hitachi-zaidan.org/my-tomorrow/index.html

学生にとってはリアルな
学習体験、企業にとっては
人材創出の場になります。

家庭で求められる取り組み①
教材を使わずにできる教育

小学校で必修化されているプログラミングや理系分野の授業の他に、家庭でできるSTEM教育にはどんなものがあるのでしょうか。まずは、教材を使わずにできる教育を紹介します。

1 家庭でできる STEM 教育とは

家庭でできる STEM 教育には、日常生活の中で行う方法と、パソコンや教材を使った方法があります。前述したように、プログラミング的思考を養うには日常のお手伝いが有効ですし、家にあるもので簡単な実験をしてみるのもよ良いでしょう。プログラミングに興味がある場合は、オンライン教材などを使って、本格的にプログラミングを学んでみるのが良いかもしれません。

とはいえ、本質的に STEM 教育というのは、課題を自分で見つけて解決していく力を身につけることを目的とした教育です。家庭内でも自分で問題を解決する経験を積み重ね、自信をつけていけるように接することが一番です。

2 教材を使わずに家庭でできる STEM 教育

教材を使わずにできる STEM 教育を紹介していきます。小学校入学前にはおもちゃで遊ぶことをうまく活用して、STEM 教育を実践していきましょう。

例えば、パズルや迷路などで、プログラミング的思考を育てましょう。パズルや迷路では途中で必ず間違ってしまうと思います。そのときに、「どこで間違ってしまったのか」「なぜ間違ってしまったか」「正しいのはどれか」などと、問題解決能力を養う方向へと誘導し

ていくことが大切です。

　他には、ブロックを使った遊びも良いでしょう。ブロックを使って何かを作ることで、STEMにおける「T：テクノロジー」や「E：エンジニアリング」の要素を学ぶことができます。バランスやスペースを考えながら組み立てることにより空間能力や想像力が育ち、うまく組み立てられなかったときに原因を考え、もっと良いものを作ろうと作り直すことで問題解決能力も育ちます。

FIGURE 67　おもちゃ遊びで身につく能力

迷路やパズル

プログラミング的思考

問題解決能力

ブロック

空間能力　想像力

問題解決能力

家庭内でも自分で課題を解決する経験を積み重ね、
自信をつけられるようにすることが大切！

家庭で求められる取り組み②
教材を使った教育

家庭でできるSTEM教育として、教材を使った教育の方法や例を紹介します。

1 教材を使った STEM 教育

家庭でできる STEM 教育には、教材を使う方法もあります。教材を使うことで、プログラミングを本格的に学べます。下記に主な教材の例を挙げます。

① Scratch

Scratch はマサチューセッツ工科大学のライフロング・キンダーガーデングループが開発した、小学生でも簡単に学べる無料のビジュアルプログラミング言語です。

8歳から16歳向けに開発されたもので、自作の物語やゲーム、アニメーションを作成することができます。操作は簡単で、キャラクターの動きや見た目、音などを自分で組み合わせることでプログラミングをしていきます。簡単な入力とマウス操作で行うことができ、指示どおりにキャラクターが動くことを視覚的に理解できるのが特徴です。

さらに、5歳から7歳向けには **ScratchJr** が無料で提供されています。幼い子どもたちの認識能力、感情、社会性の成長に合うようにプログラミング言語とインターフェースのデザインが変更されています。

② Code.org®

Code.org® は、「すべての学校のすべての生徒がコンピュータサイエンスを学ぶ機会を持つ」という目的で活動している教育イノベーション非営利団体です。女性やマイノリティが参加することに重点を置いています。コンピュータサイエンス入門から上級コースまで、様々なプログラムを無料で提供しており、家庭でも利用することができます。対象年齢がそれぞれのコースに書かれているので、どのコースを選択したら良いのかわかりやすくなっています。

さらに、アナと雪の女王やマインクラフトなどの有名キャラクターも登場し、助けが必要なときに動画を見て方法を確認したり、ヒントを得たりすることができ、楽しく学ぶことができます。また、画面上では、コードが書き込まれたブロックを動かして組み合わせるだけでプログラミングができるようになっていますが、実際のプログラミング言語はどのような構造になっているのかを確認することもできます。ゲーム感覚でプログラミングに慣れ親しんだ後、実際に一からプログラミングをしてみようと思ったときに、とても嬉しい機能です。

FIGURE 68 Scratch のウェブサイト

家庭でも学べる
様々なプログラムを
無料で提供

出所：https://scratch.mit.edu

③ CodeMonkey

　CodeMonkey は、世界中で2500万人以上の利用者がいるといわれる、プログラミングをゲーム感覚で学ぶことができる学習教材です。イスラエルで生まれ、日本にも導入されています。未就学児から中学生までが対象で、それぞれの年齢に合わせたコースで学ぶことができます。家庭では東進でのみ受講することが可能です。様々なチャレンジをクリアするとサルのキャラクター・コーディが一緒に喜んでくれるため、達成感を得ながら楽しく学ぶことができます。

　すべての内容を受講するためには申し込みが必要なので、少しハードルは高いかもしれません。しかし、基礎から AI 開発に必須の Python までをしっかり学ぶことができます。Scratch や Code. org® に比べると少々難易度が高いため、パソコンに慣れている子やより本格的にコーディングを学びたい子に向いています。

FIGURE
69 東進 CodeMonkey のウェブサイト

本格的に
コーディングを
学ぶことができる

出所：https://www.toshin.com/codemonkey/

FIGURE 70 各教材の違い

	対象年齢	料金	内容
Scratch	8～16歳 (5～7歳向けの低年齢版もある)	無料	・教育向けのプログラミング言語 ・簡単な操作でゲームやアニメーションを作ることができる ・読み書きや計算ができないより低年齢の子ども向けのScratchJrも提供
Code.org®	4～18歳	無料	・ウェブサイトで無料のプログラミングの授業を受けられる ・難易度や年齢別のコースがある ・有名なキャラクターを使ったコンテンツがある
CodeMonkey	6～14歳	有料(国内では個人は東進のみで受講可能)	・ゲーム形式でプログラミングを学べる ・入門から上級まで約1000のコースがある ・上級コースでは実際のプログラミング言語のPythonが学べる

教材を使えば年齢やスキルに合った学習ができます。

家庭で求められる取り組み③
参加型 STEM 教育とその他方法

おもちゃや教材を使った教育に加えて、STEMに関わる施設に
行ったり専用プログラムに参加したりすることで学べる参加型の
STEM教育を紹介します。

1 科学博物館やワークショップを活用

STEM 分野への興味を育てるためには、STEM に関わる施設や
ワークショップなど学校外のプログラムを活用するのも効果的で
す。例えば、科学博物館で STEM 分野に関わる展示などを実際に
見たり触れたりすることで、子どもたちは興味を持ち、理解も深ま
るでしょう。

また、ワークショップに参加することで実際に手を動かしたりコ
ミュニケーションを取ったりすることは、とても良い経験になると
思います。親は夢中になっている子どもの姿を見て、「この分野に
興味があるのか」という気づきを得ることができるかもしれません。
興味を惹かれている分野についてもっと深く知っていくことのきっ
かけになるはずです。

2 科学に興味を持たせるためにはこんな方法も

さらに、教材や体験学習以外にも、子どもに科学に興味を持たせ
る方法はあります。例えば次のようなものは良いきっかけになるか
もしれません。

●空想科学読本シリーズ　柳田理科雄　著
　マンガやアニメの空想の世界で描かれる現象を科学的に解明して

いく試みを示した本です。「太宰治の走れメロスでメロスが走ったスピードを計算してみる」や「アンパンマンの必殺技「アンパンチ」の威力はどのくらいか?」といったことを科学的に検証しています。目次を読んだだけでワクワクする本です。科学を勉強したら、自分の力でこんなこともわかるんだと楽しくなること間違いなしです。空想科学読本シリーズは大人向けではありますが、さらに簡単でわかりやすい小中学生向けのジュニア空想科学読本シリーズやポケモン空想科学読本も刊行されています。

FIGURE
71 **空想科学研究所のウェブサイト**

出所：https://www.kusokagaku.co.jp/

●サイエンスエンターテイナー　五十嵐美樹さん

　科学の面白さを伝える科学実験教室やサイエンスショーを開催する「科学のお姉さん」として知られている方です。科学に興味がない子どもたちにこそ見てほしいと、商業施設や地域のお祭りなどでもショーを開催しています。ダンスを取り入れた「生クリームを振ってバターを作る実験」は子どもたちも釘付けになってしまうキレの良さ。夏休みの自由研究に役立つ『おうちサイエンス』や日常を科学の目で見てドキドキわくわくする話が収録された『ドキドキするほど面白い！　文系もハマる科学』などの著者でもあります。

ジェンダーギャップの解消①
女性 STEM 人材の重要性

> 国内外で女性のSTEM人材の育成が重視されている一方、女性のSTEM教育に対する偏見や間違った認識もあるといえます。そうした女性のSTEM教育に対する国内の認識について解説します。

1 世間の風潮が進路を狭めている

経済協力開発機構（OECD）によると、大学などの高等教育機関の入学者の女性割合は工学系が加盟国平均26%、日本は16%という結果になっています。また、自然科学系で平均52%、日本は27%と平均との大きな差があります。

女性だから能力が低いといったことはまったくありません。しかし、「女性は STEM 分野には向いていない」といった昔からの根強い世間の風潮があります。本人が理工系に興味を持っていても、保護者や教師が積極的ではない、数が少ないことでロールモデルが身近にいないなどといったことにより、進路を狭めてしまっている現状があります。

2 ジェンダーギャップへの意識の低さが課題

アメリカの工業製品大手、スリーエムが行った科学に対する意識調査では、驚く結果となりました。この調査は2022年にアメリカ、イギリス、中国、日本などの17か国の18歳以上1000人を対象としたものです。結果の中でも顕著だったものは、日本の STEM 分野のジェンダーギャップに対する意識の低さです。

学生たちが質の高い STEM 教育を受ける障壁になっているものとして、「STEM 分野を目指す女子学生に対する偏見」を選択した人はわずか13%、平均の23% に比べ、低い値となりました。

　また、STEM 分野のキャリアを積むことをやめた／妨げている理由は何かという質問で、「自分は STEM を追求するほど優秀ではないと思っている、またはそう思っていた」と回答した人は42% と約半数に上り、平均の25% と大きく差が開く結果となりました。この質問に対する日本の男性回答者は36%、女性は53% と、男女でも意識の差があることも明らかになりました。

③ 自己肯定感を高めることも重要

　この結果からわかることは、実情と意識の間には大きな乖離があるということです。そして、本人たちも気づいていないうちに、「女性が STEM 分野には向いていない」という風潮を受け入れてしまっているという状況が現れているのではないでしょうか。日本で女性の STEM 人材が少ないことにそもそも気づいていない場合や、たまたま女性が少なかっただけだと思っている場合など、無意識のうちに現状を当然のことだと捉えてしまっているのかもしれません。

　また、これは男女関係なく言えることですが、日本人の自己肯定感の低さも現れた結果となりました。今後、幼いころからの STEM 教育では、成功体験を積み重ねることにより自己肯定感を上げることも重視されていくことでしょう。

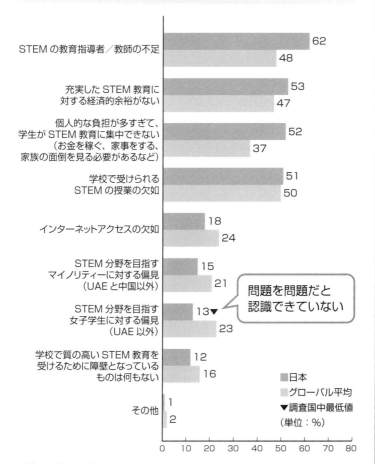

FIGURE 72 国内のジェンダーギャップへの意識の低さ

学生たちが質の高いSTEM教育を受けるための障壁になっているものは何だと思いますか

項目	日本	グローバル平均
STEMの教育指導者/教師の不足	62	48
充実したSTEM教育に対する経済的余裕がない	53	47
個人的な負担が多すぎて、学生がSTEM教育に集中できない（お金を稼ぐ、家事をする、家族の面倒を見る必要があるなど）	52	37
学校で受けられるSTEMの授業の欠如	51	50
インターネットアクセスの欠如	18	24
STEM分野を目指すマイノリティーに対する偏見（UAEと中国以外）	15	21
STEM分野を目指す女子学生に対する偏見（UAE以外）	13▼	23
学校で質の高いSTEM教育を受けるために障壁となっているものは何もない	12	16
その他	1	2

問題を問題だと認識できていない

■日本
■グローバル平均
▼調査国中最低値
（単位：％）

0 10 20 30 40 50 60 70 80

※該当する上位3つの項目を選択

CHAPTER 5 STEM教育のこれから

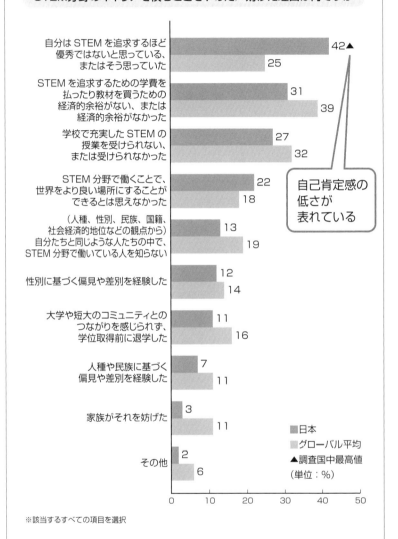

STEM分野のキャリアを積むことをやめた／妨げた理由は何ですか

- 自分は STEM を追求するほど優秀ではないと思っている、またはそう思っていた
  - 42 ▲
  - 25
- STEM を追求するための学費を払ったり教材を買うための経済的余裕がない、または経済的余裕がなかった
  - 31
  - 39
- 学校で充実した STEM の授業を受けられない、または受けられなかった
  - 27
  - 32
- STEM 分野で働くことで、世界をより良い場所にすることができるとは思えなかった
  - 22
  - 18
- （人種、性別、民族、国籍、社会経済的地位などの観点から）自分たちと同じような人たちの中で、STEM 分野で働いている人を知らない
  - 13
  - 19
- 性別に基づく偏見や差別を経験した
  - 12
  - 14
- 大学や短大のコミュニティとのつながりを感じられず、学位取得前に退学した
  - 11
  - 16
- 人種や民族に基づく偏見や差別を経験した
  - 7
  - 11
- 家族がそれを妨げた
  - 3
  - 11
- その他
  - 2
  - 6

自己肯定感の低さが表れている

■日本
■グローバル平均
▲調査国中最高値
（単位：%）

0　10　20　30　40　50

※該当するすべての項目を選択

出所：3M「ステート・オブ・サイエンス・インデックス」2022 年版

CHAPTER
5
7

ジェンダーギャップの解消②
取り組み事例

ジェンダーギャップを解消するためにはどのような取り組みが
なされているのでしょうか。具体的な例を紹介します。

1 東京工業大学の取り組み

東京工業大学の学部段階の女性比率は約13%と低くなっていま
す。同じような人間の集団では柔軟性、創造性が発揮されにくいと
いった理由により、2024年度の入学者から、総合型・学校推薦型
選抜に「女子枠」を設けることが決まりました。24年度に58人、
25年度からは143人の「女子枠」を設けることで、女性比率を
20%以上にすることを見込んでいます。

FIGURE 73 東京工業大学のウェブサイト

女子枠により女性比率
の上昇を目指す

出所：https://www.titech.ac.jp/

2　山田進太郎 D&I 財団の取り組み

　山田進太郎 D&I 財団は高校の文理選択で理系を選ぶと受け取れる返済不要の奨学金「STEM（理系）女子奨学助成金」の募集を行っています。この財団はメルカリの創業者である山田進太郎氏が、誰もが自身の能力を最大限に発揮できる社会の実現へ寄与することを目的として設立された財団で、第一弾のプロジェクトとして奨学助成金を開始しました。2023年の7月6日には第3回目の募集が始まっており、これにより累計給付者数は約1200人となる予定です。

FIGURE 74　2023年度 STEM（理系）女子奨学助成金のウェブサイト

理系を選ぶと
受け取れる奨学金

出所：https://www.shinfdn.org/

3　アマゾンジャパンの取り組み「Amazon WoW」

　Amazon WoW とは、女子大学生とアマゾン・アマゾンウェブサービス社員（技術職リーダー、リクルーター）をつなげる取り組みです。女子大学生は先輩社員のキャリア遍歴や技術分野の仕事の魅力を聞

いたり、プログラミングのスキルを学んだりすることができます。2022年に始まってから1年間で延べ458人の学生が参加し、STEM分野の仕事に関心がある女性に好評だそうです。大学在籍中であれば専攻や学年は問わないため、幅広い分野の学生が参加できます。

2023年1月13日にはAmazon WoW 一周年記念イベントとして「先輩Talk！」を開催し、7名のAmazon社員が自身の経験を紹介しました。業務内容や仕事の面白さ、子育てや趣味との両立などについてそれぞれの視点から経験やアドバイスを話しました。身近に女性のロールモデルが少ない女子大学生にとって、実際に現場で働く人の声を聞くことができる貴重な取り組みとなっています。

FIGURE 75 **AmazonWoW のウェブサイト**

女性ロールモデルの
話が聞ける

出所：https://www.shinfdn.org/

ジェンダーギャップの解消③
今後求められる対応

ここまで、国内のジェンダーギャップの現状や問題点について
見てきましたが、今後求められる対応について解説します。

1 女性が働きやすい態勢の整備が必要

　女性のSTEM人材が少ない理由として、周囲の環境や思い込み
による影響が大きいと解説してきました。STEM人材に限らずいえ
ることですが、女性は結婚、妊娠、出産とライフスタイルによって
働き方を変えなければならないことが多いです。現代は「結婚した
ら寿退社」という考えを持っている人は少なくなってきていますが、
妊娠して産休を取って、いざ仕事復帰をしたら仕事についていけな
くなり、いままでの働き方ができなくなるということは容易に想像
できます。そういった問題は、世界の技術の進歩が目まぐるしい
STEM分野では顕著に現れてしまうのではないかと思います。

　もちろん、本人の頑張りなしではいままでの働き方はできないで
しょう。しかし、それをサポートする態勢が整っているかどうかと
いわれたら疑問が生じます。女性が産休や育休をとることは当たり
前の権利ですし、育児の中で急な早退や休みを取ってしまうことも
あるでしょう。それは男性にとっても当たり前の権利です。

　そんなときには周りのサポートが不可欠です。周りがサポートし
やすいように環境を整えることが社会の役割ではないでしょうか。
忙しく働いていると、「産休育休がうらやましい」「その人の穴埋め
で自分ばかりが損をしている」と思ってしまうこともあるでしょう。
休む側が申し訳ないと思わないで自然と休めたり、サポートする側

も気持ちよく受け入れられたりする態勢を整えることが理想です。

2 子どもの頃から興味が持てるような教育を

ジェンダーギャップを解消する具体的な取り組みとして挙げたものは「すでに理系に興味のある人」へ向けたものにとどまってしまっています。理系に興味があるけど進学に不安がある人にとってはとても良い取り組みではあるものの、これによって理系に興味を持たせるということは難しいのではないでしょうか。

子どもの頃からSTEM分野に興味を持てるような教育を家庭、学校が共に行っていくことが、根本的なジェンダーギャップの解消につながると思います。

CHAPTER 5 STEM教育のこれから

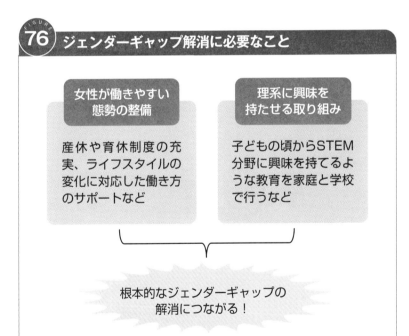

FIGURE 76 ジェンダーギャップ解消に必要なこと

女性が働きやすい態勢の整備	理系に興味を持たせる取り組み
産休や育休制度の充実、ライフスタイルの変化に対応した働き方のサポートなど	子どもの頃からSTEM分野に興味を持てるような教育を家庭と学校で行うなど

根本的なジェンダーギャップの解消につながる!

135

Society5.0の実現へ

2016年1月に閣議決定され、政府が策定した「第5期学術基本計画」で提唱されたSociety5.0。STEM教育との関係を解説します。

1 Society5.0とは

Society5.0とは「**サイバー空間（仮想空間）とフィジカル空間（現実空間）を高度に融合させたシステム**により、経済発展と社会的課題の解決を両立する、人間中心の社会（Society）」と定義されています。狩猟社会を Society1.0、農耕社会を Society2.0、工業社会を Society3.0、情報社会を Society4.0と定義し、それに続く今後目指すべき未来社会の姿として提唱されました。

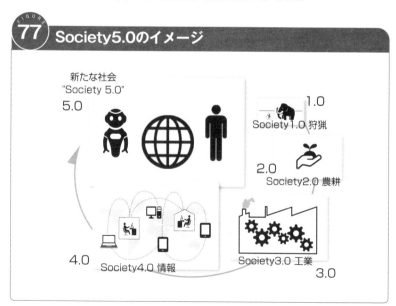

FIGURE 77 Society5.0のイメージ

これまでの情報社会（Society4.0）では、知識や情報は確かに豊富にありました。しかし、溢れる情報から必要な情報を見つけて分析することが大変であり、豊富な知識や情報を活用することが難しい状況にありました。ネット通販で買い物をしたり、SNSで友達とメッセージのやり取りをしたり、閉じられたサイバー空間での出来事で完結していたのがいままでの社会です。インターネットで検索して、情報を得ることはできても、その情報のうちどれが正しいのか判断することが難しく、有効な情報を探すのに時間がかかるという課題を持っていました。

Society5.0では、IoT（Internet of Things）ですべての人とモノがつながり、様々な知識や情報が共有され、Society4.0では解決できなかった課題や困難を克服することができるとされています。Society5.0では、AIにより、必要な情報が必要なときに簡単に提供されるようになり、ロボットや自動走行車などの技術で、少子高齢化、地方の過疎化、貧富の格差などの課題が克服できると考えられています。

② STEM教育で実現する Society5.0

Society5.0を実現するにあたって、重要な役割を持つのは理系の専門知識を持った人たちです。AIの進化やビックデータの解析にも、常にプログラミングの作業は必要となってきます。しかし、プログラマーの仕事の中でも、比較的簡単な仕事はAIに取って代わられるといわれています。そんな中で必要となってくるのが、AIができない0から1を創り出すことのできる人間です。

STEM 教育では、自ら課題を発見し、解決する力や創造する力を育てていきます。STEM 教育は、Society5.0を実現するにあたって重要である以上に、Society5.0が実現した暁には AI に使われる人間ではなく、AI を活用する人間になるために重要です。STEM 教育は理系の知識を学ばせるだけのものではありません。多様化が進む今日の社会で活躍できる人材を育てていきましょう。

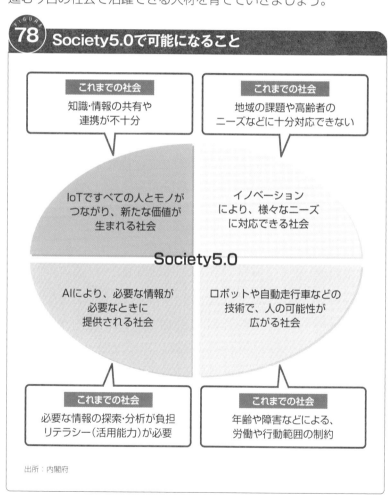

FIGURE
78 Society5.0で可能になること

これまでの社会
知識・情報の共有や連携が不十分

これまでの社会
地域の課題や高齢者のニーズなどに十分対応できない

IoTですべての人とモノがつながり、新たな価値が生まれる社会

イノベーションにより、様々なニーズに対応できる社会

Society5.0

AIにより、必要な情報が必要なときに提供される社会

ロボットや自動走行車などの技術で、人の可能性が広がる社会

これまでの社会
必要な情報の探索・分析が負担リテラシー（活用能力）が必要

これまでの社会
年齢や障害などによる、労働や行動範囲の制約

出所：内閣府

Column
理数科に通って思うこと

　前述したように、私は高校生のときに理数科に通っていました。なかなか
に理数科は難易度が高く、周囲からはあまり合格すると思われていなかった
ようです（笑）。しかし結果として合格し、晴れて入学となったわけですが、
高校生活は中学校までとは比べ物にならないくらい忙しかったです。中学
校までは授業を聞いていればある程度理解できた授業が難しくなり、中学
校までは居眠りすることがなかったのに、高校の授業はいつも眠くなってし
まうほどでした。理解できない問題に直面すると、人は眠くなるのかと学び
ました（単純に睡眠不足だったこともありましたが）。

　中学3年生のときに行った学校見学では、先輩方のクラスの女子の少な
さ（たしか40人中女子が1桁台）にびっくりしましたが、私の学年は思って
いたより女子が多く、学年によって結構差があるんだなぁと思ったもので
す。理数科の担任の先生は理系の先生というイメージがあるかと思います
が（私は思っていました）、私のクラスは現代国語の先生でした。

　理数科は1学年に1クラスだったので3年間クラス替えがなく、3年間現
代国語の先生に担任を受け持っていただきました。理数科ゆえ、数学が1日
に2コマあったりするのに対し、現代国語の授業は少なく、正直、担任の先
生よりも数学の先生と顔を合わせている時間の方が多かった気もします
（笑）。高校では、理数科は理系の科目だけ学べば良いわけではなく、理系こ
そ英語を学ばなければならないとよくいわれたものです。英語が苦手だっ
た私としては、意外と多くある英語の授業に苦労しましたが、大学に入学し
てからはもっと真面目に勉強しておけばよかったと思うばかりです。

　また、現代国語の担任の先生からは「想像力を働かせること」の大切さを
教えていただきました。STEM教育について調べているときに、私たちは
理数系の学問を横断的に学ぶ授業と共に、問題を様々な角度から捉え、解決
する「想像力」も育ててもらっていたんだなぁと思い、感謝しかありません。

MEMO

おわりに

　本書では、STEM教育の内容や必要性、課題などを説明してきました。これまでSTEM教育だとは知らなかったけれど、自分がSTEM教育のような教育を受けてきたのだと気づいた方もいるのではないでしょうか。

　私もそのうちの一人です。STEM教育という名称は知らずとも、たくさんの場面で同じような教育を受けさせてもらってきたのだと、改めて実感しています。

　最後に、少しSTEM教育からずれてしまうかもしれませんが、勉強することに関して私の考えを述べさせてください。

　勉強をすると、知識を得ると、人生が豊かになります。何も知らないで生きているより、知っているほうが人生が楽しくなります。知識を得て、いろいろな人の立場を想像することができれば、人に優しくなれます。

　想像力を持って人に優しくできる人間になれるよう、私は勉強を続けてきました。そういった考えを私にもたらしてくれた周りの人々や本をはじめとするメディアに感謝しています。

　この本が、そういった1つのきっかけになれば、とてもうれしいです。

松村佳奈

STEM教育に役立つサイト紹介

STEM教育を学校や家庭で行う際に参考になるサイトを紹介します。

①STEAM Japan

　STEAM教育に関する様々な情報発信を行っているウェブメディアです。STEAM教育の概要や基礎知識をはじめ、世界のSTEAM教育に関する情報や教育関連のイベント情報などが掲載されています。

https://steam-japan.com/

②未来の教室 ～learning innovation～

　経済産業省が実施している「未来の教室」事業のポータルサイトです。「未来の教室」の取り組み状況や成果、EdtechやSTEAMなどの学びの最新動向についての情報が掲載されています。

https://www.learning-innovation.go.jp/

③STEAM Library

　「一人ひとりのワクワクを探求するためのオンライン図書館」をコンセプトにした、STEAMに関するコンテンツや指導案などの検索サイトです。子どもたちの興味・関心に応じてコンテンツ（教材）を探すことができます。

https://www.steam-library.go.jp/

●著者紹介

松村 佳奈（まつむら かな）

埼玉県立大宮高等学校理数科にて理系に特化した教育を受ける。
高校卒業後、研究職に就くため理系の大学に進学。東京農業大学農芸化学専攻博士前期課程修了。
現在は研究に従事している。

図解ポケット
STEMがよくわかる本

| 発行日 | 2023年 9月 5日 | 第1版第1刷 |

著　者　松村　佳奈

発行者　斉藤　和邦
発行所　株式会社　秀和システム
〒135-0016
東京都江東区東陽2-4-2　新宮ビル2F
Tel 03-6264-3105（販売）Fax 03-6264-3094
印刷所　三松堂印刷株式会社　　Printed in Japan

ISBN978-4-7980-7013-1 C0037

定価はカバーに表示してあります。
乱丁本・落丁本はお取りかえいたします。
本書に関するご質問については、ご質問の内容と住所、氏名、電話番号を明記のうえ、当社編集部宛FAXまたは書面にてお送りください。お電話によるご質問は受け付けておりませんのであらかじめご了承ください。